O Mágico de Oz

Leia também na Coleção **L&PM** POCKET:

A bela adormecida e outras histórias – Irmãos Grimm
Alice no País das Maravilhas – Lewis Carroll
Alice no País do Espelho – Lewis Carroll
As aventuras de Simbad, o marujo – Anônimo
O príncipe sapo e outras histórias – Irmãos Grimm
Pinóquio – Carlo Collodi
Um conto de Natal – Charles Dickens

L. Frank Baum

O Mágico de Oz

Tradução de William Lagos

www.lpm.com.br

L&PM POCKET

Coleção **L&PM** POCKET, vol. 232

Texto de acordo com a nova ortografia.

Título original: *The Wizard of Oz*
(Este é um texto de domínio público.)

Primeira edição na Coleção **L&PM** POCKET: junho de 2001
Esta reimpressão: janeiro de 2024

Tradução: William Lagos
Preparação de original: Jó Saldanha
Revisão: Renato Deitos

ISBN 978-85-254-1129-7

B347m   Baum, Lyman Frank, 1856-1919.
              O Mágico de Oz/ Lyman Frank Baum, tradução
       de William Lagos. – Porto Alegre: L&PM, 2024.
       176 p. ; 18 cm – (Coleção L&PM POCKET)

       1. Ficção infantojuvenil-Aventuras. I. Título. II. Série.

                                        CDD 028.5
                                        CDU 087.5

Catalogação elaborada por Izabel A. Merlo, CRB 10/329.

© da tradução, L&PM Editores, 2001

Todos os direitos desta edição reservados a L&PM EDITORES
Rua Comendador Coruja, 326 – Floresta – 90.220-180
Porto Alegre – RS – Brasil / Fone: 51.3225.5777

Pedidos & Depto. Comercial: vendas@lpm.com.br
Fale conosco: info@lpm.com.br
www.lpm.com.br

Impresso no Brasil
Verão de 2024

Introdução

O folclore, as lendas, os mitos e os contos de fadas acompanham a infância através dos tempos, pois toda a criança saudável adora histórias fantásticas e manifestamente irreais. As fadas aladas de Grimm e Andersen trouxeram mais felicidade aos corações infantis do que qualquer outra criação humana.

Entretanto, os antigos contos de fadas podem ser classificados hoje como "históricos" na biblioteca das crianças, pois chegou a época de uma nova série de "contos maravilhosos" em que gênios, anões e fadas estereotipados são eliminados, junto com as aventuras de gelar o sangue criadas por seus autores para sublinhar uma moral terrível para cada conto. A educação moderna inclui a moralidade, portanto, a criança moderna busca somente divertimento em seus contos fantásticos e dispensa todos os incidentes desagradáveis.

Mantendo este pensamento em mente, a história do "maravilhoso Mágico de Oz" foi escrita unicamente para agradar às crianças de hoje. Pretende ser um conto de fadas modernizado, em que o encanto e a alegria são mantidos, enquanto os sofrimentos e os pesadelos são deixados de fora.

L. Frank Baum
Chicago, abril de 1900

O Mágico de Oz

Dorothy morava no meio das grandes pradarias do Kansas, com seu Tio Henry, que era dono de uma fazenda, e com Tia Emily, que era a esposa dele. Sua casa era pequena, porque a madeira para construí-la teve de ser carregada em carroções por muitos quilômetros. Tinha quatro paredes, um assoalho e um teto que formavam uma única sala; e esta sala tinha um fogão meio enferrujado, um guarda-louça para os pratos, uma mesa, três ou quatro cadeiras e as camas. Tio Henry e Tia Emily tinham uma cama grande em um canto e Dorothy tinha uma caminha em outro canto. Não havia nenhum sótão e nem porão, exceto um pequeno buraco cavado no chão, sob a casa, que era chamado "porão dos ciclones", onde a família poderia se esconder caso surgisse um desses grandes redemoinhos, poderoso o bastante para esmagar qualquer casa que encontrasse em seu caminho. As pessoas abriam um alçapão feito no meio do assoalho da sala, dentro do qual uma escada conduzia a um buraco pequeno e escuro.

Quando Dorothy parava na porta de entrada da casa e olhava ao redor, não conseguia ver nada, exceto a grande pradaria cinzenta que se estendia para todos os lados. Nem uma árvore, nem uma casa quebrava a vasta extensão de terras planas que atingiam a linha do horizonte em todas as direções. O sol tinha secado as terras aradas, transformando-as em uma massa cinzenta por onde se corriam pequenas fendas. Mesmo o capim não era verde, porque o sol tinha queimado a parte superior das longas folhas até que ficaram da mesma cor cinzenta que se via por toda a parte. Somente a casa tinha sido pintada, mas o sol e as chuvas tinham levado embora a maior parte da pintura, e a casa estava triste e cinzenta como tudo o mais.

Quando Tia Emily foi morar lá, era uma esposa jovem e bela. Mas o sol e o vento também tiveram um efeito sobre ela. Tiraram o brilho de seus olhos e só deixaram um cinza sombrio; tiraram o rosado de suas faces e lábios de tal maneira que agora eles também eram cinzentos. Ela era magra e macilenta, e já não sorria mais. Quando Dorothy, que era órfã, veio morar com ela, Tia Emily ficou tão espantada com o riso da criança, que gritava e apertava a mão contra o coração cada vez que a voz alegre de Dorothy chegava a seus ouvidos; e ainda olhava para a menina cheia de espanto por ela encontrar qualquer coisa que lhe desse motivo para rir.

Tio Henry nunca ria. Ele trabalhava pesado da manhã à noite e não sabia o que era alegria. Ele também era cor de cinza, desde sua barba longa até suas botas grosseiras, tinha um aspecto austero e solene e raramente falava.

Quem fazia Dorothy rir era Totó, que impediu que ela crescesse tão cinzenta quanto todas as coisas que a rodeavam. Totó não era cinza: era um cachorrinho preto com longo pelo sedoso e pequenos olhos negros que brilhavam alegremente de cada lado de seu narizinho engraçado. Totó brincava o dia todo, e Dorothy brincava com ele e o amava ternamente.

Nesse dia, entretanto, eles não estavam brincando. Tio Henry estava sentado no degrau da porta, olhando ansiosamente para o céu, que estava ainda mais cinzento que de costume; Dorothy, de pé junto à porta, tinha Totó nos braços e também olhava para o céu, e Tia Emily estava lavando os pratos.

Bem longe, ao norte, podiam ouvir um gemido fraco do vento, e Tio Henry e Dorothy observavam o capim longo curvando-se em ondas diante da tempestade que se avizinhava. Escutaram então um assobio agudo vindo do sul, e quando voltaram-se para aquela direção viram ondulações na relva vindo de lá também.

Subitamente o Tio Henry se ergueu.

– Um ciclone está chegando, Emily – disse ele à sua esposa. – Vou cuidar do gado.

Então ele correu na direção dos galpões onde guardavam as vacas e os cavalos.

Tia Emily largou seu trabalho e veio até a porta. Um rápido olhar lhe mostrou que o perigo estava próximo.

– Depressa, Dorothy! – ela gritou. – Corra para o porão!

Totó saltou para fora dos braços de Dorothy e escondeu-se embaixo da cama, e a menina pulou para agarrá-lo. Tia Emily, assustadíssima, abriu o alçapão e desceu a escada para o pequeno buraco escuro. Dorothy finalmente conseguiu pegar Totó e já seguia sua tia quando, na metade do caminho, ouviu um grande rufar do vento e a casa sacudiu tão forte que ela perdeu o pé e caiu sentada no chão.

Foi então que uma coisa muito estranha aconteceu.

A casa girou ao redor de si mesma duas ou três vezes e ergueu-se lentamente no ar. Dorothy teve a impressão de que estava subindo em um balão.

Os ventos norte e sul encontraram-se no lugar em que a casa havia sido construída e o tornaram o centro exato do ciclone. No meio de um ciclone, o ar em geral fica parado, porém a grande pressão do vento de todos os lados da casa fez com que ela subisse cada vez mais alto, até chegar bem no topo do ciclone; e aí ela permaneceu e foi carregada por milhas e milhas tão facilmente como você poderia carregar uma pena.

Estava muito escuro, e o vento uivava ao seu redor, mas Dorothy deu por si viajando confortavelmente. Depois dos primeiros giros e num momento em que a casa se inclinou muito, ela teve a sensação de estar sendo embalada gentilmente, como um bebê no berço.

Totó não estava nada satisfeito. Corria pela sala, ora aqui, ora ali, latindo bem alto; mas Dorothy sentou-se bem quietinha no assoalho e esperou para ver o que ia acontecer.

Num certo momento, Totó chegou perto demais do alçapão aberto e caiu lá dentro; a princípio, a menininha pensou que ele estava perdido. Mas logo ela viu uma de suas orelhas surgindo de dentro do buraco; a forte pressão do ar o empurrava para cima de tal modo que ele não podia cair. Ela se arrastou até o buraco, agarrou Totó pela orelha e o puxou de volta para a sala; depois fechou o alçapão para que não pudessem ocorrer mais acidentes.

As horas se passaram lentamente e aos poucos Dorothy perdeu o medo; mas sentia-se muito solitária e o vento gritava tão alto ao redor dela que quase ficou surda. No princípio ela pensou que seria feita em pedaços quando a casa caísse de novo; mas à medida que as horas passavam e nada de terrível acontecia, ela parou de se preocupar e resolveu esperar calmamente para ver o que o futuro lhe traria. Finalmente ela se arrastou pelo assoalho tremulante até sua cama e deitou-se; Totó seguiu-a e aconchegou-se ao lado dela.

Apesar do balanço da casa e dos gemidos do vento, logo Dorothy fechou os olhos e adormeceu profundamente.

Capítulo 2

Dorothy foi acordada por um choque tão súbito e forte que, se não estivesse deitada na cama macia, poderia ter-se machucado. O sobressalto fez com que prendesse a respiração e imaginasse o que tinha acontecido; e Totó encostou seu focinho frio no rosto dela e ganiu tristemente. Dorothy sentou-se e percebeu que a casa não estava mais se movendo; nem estava escuro, porque a brilhante luz do sol passava pela janela inundando a pequena sala. Ela pulou da cama e com Totó em seus calcanhares correu e abriu a porta.

A meninazinha deu um grito de espanto e olhou em torno, seus olhos crescendo cada vez mais diante das visões maravilhosas que surgiam.

O ciclone tinha deposto a casa no solo muito gentilmente – para um ciclone – bem no meio de uma terra de incrível beleza. Havia lindas pastagens verdes por toda a volta, com árvores majestosas carregadas de frutos deliciosos. Havia canteiros de flores belíssimas por toda a parte e pássaros de rara e magnífica plumagem cantavam e voavam nas árvores e arbustos. A uma certa distância, um pequeno regato, correndo e cintilando entre margens verdes, murmurava com uma voz extremamente agradável para uma meninazinha que tinha vivido por tão longo tempo nas pradarias secas e cinzentas.

Enquanto estava parada olhando ansiosamente para a paisagem estranha e linda, ela percebeu que vinha em sua direção o grupo de pessoas mais engraçadas que ela já tinha visto. Elas não tinham a mesma estatura dos adultos com quem ela estava acostumada; porém, tampouco eram muito pequenas. De fato, pareciam ter mais ou menos a mesma altura de Dorothy, que era uma criança muito crescida para a sua idade, embora eles fossem, ou pelo menos parecessem ser muitos anos mais velhos.

Três eram homens e uma era mulher, e todos estavam vestidos de maneira singular. Usavam chapéus redondos que acabavam por pontas agudas a uns trinta centímetros acima de suas cabeças, com pequenos guizos ao redor das bordas, os quais tilintavam docemente enquanto eles se moviam. Os chapéus dos homens eram azuis; o chapéu da mulherzinha era branco e ela usava um vestido também branco que caía em dobras de seus ombros; sobre o tecido estavam espalhadas estrelinhas que brilhavam no sol como se fossem diamantes.

Os homens estavam vestidos de azul, da mesma cor de seus chapéus, e usavam botas bem engraxadas com laços grossos de cor azul-escuro na parte superior. Os homens, pensou Dorothy, eram mais ou menos tão velhos quanto o Tio Henry, porque dois deles tinham barba. Mas a mulherzinha era sem dúvida muito mais velha: seu rosto era coberto de rugas, seu cabelo era quase branco e ela caminhava com as pernas meio duras.

Quando estas pessoas chegaram perto da casa em cuja porta Dorothy se encontrava, pararam e murmuraram entre si, como se tivessem medo de chegar mais perto. Mas a velhinha caminhou até onde Dorothy estava, curvou-se profundamente e disse com uma voz doce:

— Muito nobre Feiticeira, você é bem-vinda à Terra dos Munchkins. Estamos tão agradecidos porque você matou a Bruxa Malvada do Leste, libertando o nosso povo da escravidão!

Dorothy escutou maravilhada o discurso. O que poderia a mulherzinha querer dizer ao chamá-la de feiticeira e ao dizer que ela tinha matado a Bruxa Malvada do Leste? Dorothy era uma meninazinha inocente e sem maldade, que tinha sido carregada por um ciclone para muitos quilômetros de distância de casa; ela nunca tinha matado coisa alguma em toda a sua vida!

Mas a mulherzinha evidentemente esperava sua resposta; assim, Dorothy disse, com hesitação:

— Você é muito gentil, mas deve haver algum engano. Eu não matei ninguém.

— Bem, se não foi você, a sua casa matou — replicou a mulherzinha com uma risada. — Isso é a mesma coisa. Veja! — continuou ela, apontando para um canto da casa. — Ali estão seus dedões, ainda aparecendo debaixo de um bloco de madeira.

Dorothy olhou e deu um gritinho de susto. Ali, sem dúvida, logo abaixo da ponta da grande trava que suportava a casa, apareciam dois pés, calçados de sapatos prateados com bicos pontudos.

— Que horror! Que horror! — gritou Dorothy, apertando suas mãos em desalento. — A casa deve ter caído em cima dela. Que é que vamos fazer?

— Não há nada a fazer — disse a mulherzinha calmamente.

— Mas quem era ela? — perguntou Dorothy.

— Ela era a Bruxa Malvada do Leste, como eu disse — respondeu a mulherzinha. — Ela manteve todos os Munchkins em escravidão por muitos anos, fazendo com que eles trabalhassem arduamente para ela noite e dia. Agora estão livres e lhe são gratos pelo favor.

– Quem são os Munchkins? – inquiriu Dorothy.

– São o povo que mora na terra do Leste, que era governada pela Bruxa Malvada.

– Você é uma Munchkin? – perguntou Dorothy.

– Não, mas eu sou amiga deles, embora eu viva na terra do Norte. Quando eles perceberam que a Bruxa do Leste estava morta, os Munchkins me enviaram um veloz mensageiro e eu vim em seguida. Eu sou a Bruxa do Norte.

– Minha nossa! – gritou Dorothy. – Você é uma bruxa de verdade?

– Sim, sem a menor dúvida – respondeu a mulherzinha. – Mas eu sou uma bruxa boa e as pessoas me amam. Eu não sou tão poderosa quanto era a Bruxa Malvada do Leste que governava esta região; se eu fosse, já teria libertado o povo há muito tempo.

– Mas eu pensava que todas as bruxas fossem malvadas – disse a menina, que estava meio assustada ao contemplar uma bruxa verdadeira.

– Oh, não, esse é um grave erro. Havia somente quatro bruxas em toda a Terra de Oz, e duas delas, as que moram no Norte e no Sul, são bruxas boas. Eu sei que isto é verdade, porque eu mesma sou uma delas e não posso me enganar. As que moravam no Leste e no Oeste eram, realmente, bruxas más; mas agora que você matou uma delas, somente existe uma bruxa malvada em toda a Terra de Oz – a bruxa que mora no Oeste.

– Mas – disse Dorothy, depois de pensar por um

momento – a Tia Emily me disse que todas as bruxas tinham morrido – há anos e anos atrás.

– Quem é Tia Emily? – indagou a mulherzinha.

– Ela é minha tia que mora no Kansas, o lugar de onde eu venho.

A Bruxa do Norte pareceu pensar por algum tempo, com a cabeça inclinada e os olhos no chão. Então ela levantou os olhos e disse:

– Eu não sei onde fica o Kansas, porque nunca ouvi falar deste país antes. Porém, diga-me, é um país civilizado?

– Oh, sim – respondeu Dorothy.

– Então essa é a explicação. Nos países civilizados eu acredito que não haja mais bruxas; nem magos, nem feiticeiras e nem mágicos. Mas, você vê, a Terra de Oz nunca foi civilizada, porque estamos desligados do resto do mundo. Portanto ainda temos bruxas e mágicos entre nós.

– Quem são os Mágicos? – perguntou Dorothy.

– O próprio Oz é um Grande Mágico – respondeu a Bruxa, baixando sua voz para um sussurro. – Ele é mais poderoso do que todas nós juntas. Ele vive na Cidade das Esmeraldas.

Dorothy estava a ponto de fazer outra pergunta, mas nesse mesmo momento os Munchkins, que tinham estado parados silenciosamente junto a elas, deram um grito e apontaram para o canto da casa onde jazia a Bruxa Malvada.

– O que foi? – perguntou a mulherzinha; então olhou e começou a rir. Os pés da Bruxa morta tinham desaparecido inteiramente e não restava mais nada senão os sapatos prateados.

– Ela era tão velha – explicou a Bruxa do Norte – que secou rapidamente no sol. Esse é o fim dela. Mas os sapatos prateados são seus e você deve ficar com eles e usá-los.

Ela se inclinou e pegou os sapatos. Depois de sacudir a poeira deles, entregou-os a Dorothy.

– A Bruxa do Leste tinha orgulho destes sapatos prateados – disse um dos Munchkins –, e havia uma espécie de encantamento ligado a eles; mas o que é realmente nunca se soube.

Dorothy carregou os sapatos para dentro de casa e os colocou sobre a mesa. Então ela saiu de novo, foi até onde estavam os Munchkins e disse:

– Estou ansiosa para voltar para minha tia e meu tio, pois tenho certeza de que eles estão preocupados comigo. Vocês podem me ajudar a encontrar o caminho?

Os Munchkins e a Bruxa primeiro olharam uns para os outros e depois para Dorothy e então sacudiram as cabeças.

– Ao Leste, não longe daqui – disse um –, há um grande deserto e ninguém pode tentar atravessá-lo e sobreviver.

– E o mesmo ao Sul – disse outro –, porque eu já estive lá e vi. O Sul é a terra dos Quadlings.

– Segundo me contaram – disse o terceiro homem –, é a mesma coisa do lado Oeste. E essa região onde moram os Winkies é governada pela Bruxa Malvada do Oeste, que a tornaria escrava caso passasse por lá.

– O Norte é meu lar – disse a velha senhora – e em sua fronteira fica o mesmo grande deserto que rodeia a Terra de Oz. Temo, minha querida, que você seja obrigada a viver conosco.

Dorothy começou a soluçar diante destas notícias, porque se sentia muito sozinha no meio de toda essa gente estranha. Suas lágrimas pareceram entristecer os Munchkins, que tinham bom coração, pois eles imediatamente tiraram dos bolsos lenços e se puseram também a chorar. Quanto à velhinha, ela tirou o chapéu, cuja ponta balançou na ponta do nariz, enquanto contava "um, dois, três" com uma voz solene. Imediatamente o chapéu se transformou em uma lousa, como as que se usavam antigamente nos colégios, e nela estava escrito em grandes letras de giz branco: "Dorothy deve ir à Cidade das Esmeraldas".

A velhinha desprendeu a lousa de seu nariz e, tendo lido as palavras que estavam escritas nela, perguntou:

– Seu nome é Dorothy, minha querida?

– Sim respondeu a criança, erguendo os olhos e secando suas lágrimas.

– Então você deve ir à Cidade das Esmeraldas. Pode ser que Oz a ajude.

– Onde fica esta cidade? – perguntou Dorothy.

– É exatamente no centro do país e é governada por Oz, o Grande Mágico de que já lhe falei.

– E ele é um homem bom? – indagou a menina, ansiosamente.

– Ele é um bom Mágico. Agora, se ele é um homem ou não, eu não posso lhe dizer, porque eu nunca o encontrei.

– E como eu chego lá? – perguntou Dorothy.

– Bem, você terá de ir a pé. É uma longa jornada, através de uma região que algumas vezes é agradável e, em outras, escura e terrível. Entretanto, eu vou usar de todas as artes mágicas que conheço para mantê-la afastada do mal.

– Não quer ir comigo? – suplicou a menina, que tinha começado a considerar a velhinha como sua única amiga.

– Não, eu não posso fazer isso – ela replicou. – Mas eu lhe darei um beijo e ninguém ousará ferir uma pessoa que foi beijada pela Bruxa do Norte.

Ela chegou perto de Dorothy e beijou-a gentilmente na testa. Onde seus lábios tocaram a garota, deixaram uma brilhante marca redonda, como Dorothy descobriu logo depois.

– A estrada para a Cidade das Esmeraldas é pavimentada com tijolos amarelos – disse a Bruxa. – Assim não há como você se perder. Quando você chegar até Oz, não tenha medo dele, conte-lhe sua história e peça-lhe para ajudá-la. Adeus, minha querida.

Os três Munchkins fizeram profundas reverências para ela e lhe desejaram uma viagem agradável, depois do que caminharam para longe por entre as árvores. A Bruxa fez a Dorothy um cumprimento amigável com a cabeça, girou ao redor de seu calcanhar esquerdo três vezes e imediatamente desapareceu, para enorme surpresa do pequeno Totó, que latiu muito alto depois que ela partiu, porque tinha tido medo até de rosnar enquanto ela estava ali.

Mas Dorothy, sabendo que ela era uma Bruxa, já esperava mesmo que ela desaparecesse bem assim e não ficou nem um pouquinho surpreendida.

Capítulo 3

Quando Dorothy foi deixada sozinha, começou a sentir fome. Foi até o guarda-louça e cortou umas fatias de pão, que cobriu com manteiga. Ela deu um pouco para Totó e, pegando um balde da prateleira, carregou-o até o pequeno regato, enchendo-o com água clara e brilhante. Totó correu até as árvores e começou a latir para os passarinhos. Dorothy foi buscá-lo e viu frutas tão deliciosas penduradas nos galhos que apanhou algumas, pois eram justamente o que ela precisava para melhorar o desjejum.

Voltou para a casa e, depois de beber e servir para Totó uma boa quantidade de água fresca e clara, começou a se preparar para a viagem à Cidade das Esmeraldas.

Dorothy só tinha mais um vestido, e ele estava limpo e pendurado em um cabide ao lado de sua cama. Era um vestido de tecido xadrez branco e azul; e embora o azul estivesse meio desbotado por ter sido lavado muitas vezes, ainda era um vestido bonito. A menina lavou-se com todo o cuidado, colocou o vestido limpo e amarrou sua touca cor-de-rosa na cabeça. Ela pegou uma cestinha e encheu-a com pão retirado do guarda-louça, colocando um guardanapo branco em cima. Então olhou para seus pés e percebeu como seus sapatos eram velhos e usados.

– Sem a menor dúvida, eles não vão servir para uma viagem longa, Totó – disse ela.

E Totó ergueu a cabecinha para seu rosto, ao

mesmo tempo que sacudia o rabo para mostrar que entendia o que ela queria dizer.

Nesse momento, Dorothy viu em cima da mesa os sapatos prateados que tinham pertencido à Bruxa do Leste.

– Será que eles me servem? – perguntou ela a Totó. – Eles parecem justamente a coisa adequada para se dar uma longa caminhada, pois dão a impressão de que nunca se gastam.

Ela tirou seus velhos sapatos de couro e experimentou os sapatos prateados, que lhe serviram tão bem como se tivessem sido feitos para ela sob medida.

Finalmente, ela pegou sua cesta.

– Vamos, Totó – disse ela. – Vamos até a Cidade das Esmeraldas pedir ao grande Oz para voltar de novo para o Kansas.

Ela fechou a porta e trancou, colocando a chave cuidadosamente no bolso de seu vestido. E assim, com Totó caminhando solenemente a seu lado, ela iniciou sua longa jornada.

Havia diversas estradas por perto, mas não levou muito tempo até que ela encontrasse aquela que estava pavimentada com tijolos amarelos. Em pouco tempo, ela já estava caminhando depressa em direção à Cidade das Esmeraldas, seus sapatos prateados batendo alegremente no pavimento duro e amarelo. O sol brilhava forte, os pássaros cantavam docemente e Dorothy não se sentia em absoluto tão mal quanto você pode pensar que uma meninazinha se sentiria depois de ter sido subitamente arrastada de seu próprio país e atirada no meio de uma terra estranha.

Ela estava era surpreendida ao ver como era bonita a paisagem que se estendia ao redor dela. Havia cercas bem cuidadas dos lados da estrada pintadas de uma delicada cor azul, e além delas havia plantações de cereais e de hortaliças em abundância.

Evidentemente, os Munchkins eram bons fazendeiros e capazes de produzir grandes colheitas. De vez em quando ela passava por uma casa e as pessoas saíam para observá-la e fazer reverências, pois todos sabiam que ela tinha sido a responsável pelo fim da Bruxa Malvada e assim libertara a todos da servidão. As casas dos Munchkins eram habitações estranhas, eram redondas, com uma grande cúpula no telhado, e pintadas de azul, porque no país do Leste o azul era a cor favorita.

No fim da tarde, quando Dorothy já estava e começava a imaginar onde poderia passar a noite, chegou a uma casa bem maior que a do resto. Sobre o gramado verde diante dela muitos homens e mulheres dançavam. Cinco pequenos violinistas tocavam o mais alto que podiam e as pessoas riam e cantavam, junto a uma grande mesa coberta por deliciosas frutas e nozes, tortas e bolos e muitas outras coisas boas de comer.

As pessoas saudaram Dorothy calorosamente e a convidaram para jantar e passar a noite por ali, porque aquela era a casa de um dos mais ricos Munchkins da terra e seus amigos haviam-se reunido com ele para celebrar a liberdade da escravidão da Bruxa Malvada.

Dorothy comeu um farto jantar e foi servida pelo próprio Munchkin rico, cujo nome era Boq. Então ela sentou-se em um sofá para ver o povo dançar.

Quando Boq viu seus sapatos prateados, disse:
– Você deve ser uma grande feiticeira!
– Por quê? – perguntou a menina.

– Porque você usa sapatos prateados e matou a Bruxa Malvada. Além disso, você tem branco em seu vestido e somente bruxas e feiticeiras usam a cor branca.

– Meu vestido é xadrez de azul e branco – disse Dorothy, esticando umas dobras que havia nele.

– Muito gentil de sua parte usar esse vestido – disse Boq. – O azul é a cor dos Munchkins, e o branco é a cor das bruxas. Assim nós ficamos sabendo que você é uma bruxa amiga.

Dorothy não soube o que responder a isto, pois todas as pessoas pareciam pensar que ela era uma bruxa, enquanto ela sabia muito bem que era apenas uma meninazinha comum que por acaso tinha sido trazida por um ciclone para esta terra estranha.

Quando ela se cansou de olhar as danças, Boq levou-a para dentro de casa, onde lhe deu um quarto com uma linda caminha. Os lençóis eram feitos de tecido azul e Dorothy dormiu profundamente até de manhã, com Totó enroscado no tapete azul que ficava ao lado.

Ela tomou um café da manhã reforçado enquanto observava um minúsculo bebê Munchkin brincando com Totó, puxando-lhe o rabo, balbuciando e rindo de tal maneira que muito divertiu Dorothy. Totó era uma grande curiosidade para todo o povo, porque eles nunca tinham visto um cachorro antes.

– A que distância fica a Cidade das Esmeraldas? – perguntou a menina.

– Eu não sei – respondeu Boq, gravemente –, porque eu nunca estive lá. É melhor para as pessoas manterem distância de Oz, a não ser que tenham negócios a tratar com ele. Mas o caminho para a Cidade das Esmeraldas é muito longo e você vai levar muitos dias. O campo por aqui é rico e agradável, mas você passará por lugares difíceis e perigosos antes de chegar ao fim de sua jornada.

Isto deixou Dorothy um pouco preocupada, mas ela sabia que somente o grande Oz seria capaz de ajudá-la a retornar para o Kansas de novo; assim, corajosamente, resolveu prosseguir.

Ela deu adeus aos amigos e novamente começou a andar pela estrada de tijolos amarelos. Depois de caminhar por diversos quilômetros, decidiu parar para descansar; para isso, subiu na cerca ao lado da estrada e sentou-se. Havia um grande milharal além da cerca e não muito distante ela viu um Espantalho colocado no alto de um poste para manter os pássaros a distância do milho maduro.

Dorothy apoiou o queixo na mão e olhou pensativamente para o Espantalho. Sua cabeça era um pequeno saco estufado de palha, com olhos, nariz e boca pintados a fim de representar um rosto. No alto de sua cabeça estava colocado um chapéu azul, velho e pontudo, que tinha pertencido anteriormente a algum Munchkin, e o resto da figura era um conjunto de roupas azuis, gastas e desbotadas, que também tinham sido estufadas com palha. Nos pés estavam colocadas botas velhas com laços azuis, como eram usadas por todos os homens do país; e a figura estava erguida acima dos pés de milho por meio de um poste enfiado nas costas da roupa.

Enquanto Dorothy olhava sem sorrir para o estranho rosto pintado do Espantalho, teve a surpresa de ver um dos olhos piscar lentamente para ela. Ela pensou que estava enganada, porque nenhum dos espantalhos que conhecia no Kansas jamais tinha piscado, mas depois de algum tempo, a figura curvou a cabeça para ela de maneira muito amigável. Então ela desceu da cerca e caminhou até ele, enquanto Totó corria ao redor do poste e latia:

– Bom dia – disse o Espantalho, com uma voz bastante rouca.

– Mas você fala? – perguntou a menina, maravilhada.

– Certamente – respondeu o Espantalho. – Como você vai?

– Estou bastante bem, obrigada – replicou Dorothy, com toda a educação. – E você, como está?

– Eu não estou me sentindo muito bem – disse o Espantalho, com um sorriso. – É muito aborrecido ficar pendurado aqui noite e dia só para espantar os corvos.

– E você não pode descer? – quis saber Dorothy.

– Não, não posso, porque este poste está enfiado nas minhas costas. Se você me fizesse a gentileza de retirá-lo, eu lhe ficaria extremamente agradecido.

Dorothy ergueu os braços e retirou a figura do poste, uma vez que, estando cheia de palha, era bastante leve.

– Agradeço-lhe muito – disse o Espantalho, quando tinha sido colocado no chão. – Sinto-me como um homem novo.

Dorothy estava confusa, era muito estranho escutar a voz de um homem empalhado, e mais ainda vê-lo curvar-se em agradecimentos caminhando ao lado dela.

– Quem é você? – perguntou o Espantalho, depois de se espreguiçar e bocejar – E para onde vai?

– Meu nome é Dorothy – disse a menina – e estou indo para a Cidade das Esmeraldas a fim de pedir ao grande Oz que me mande de volta para o Kansas.

– Onde fica a Cidade das Esmeraldas? – perguntou ele. – E quem é Oz?

– Ora, você não sabe? – disse ela, muito surpresa.

– Não, sem a menor dúvida; eu realmente não sei nada. Veja só, eu sou cheio de palha, portanto não tenho cérebro – respondeu ele, tristemente.

– Oh! – disse Dorothy – Lamento muito por você.

– Você acha – perguntou ele – que seu eu for à Cidade das Esmeraldas junto com você esse Oz pode me dar um cérebro?

– Ah, não sei dizer – respondeu ela. – Mas você pode vir comigo, se quiser. Se Oz não lhe der um cérebro, você não vai ficar pior do que está agora.

– É verdade – disse o Espantalho, e continuou, confidencialmente. – Eu não me importo que minhas pernas, braços e corpo sejam empalhados, porque assim eu não posso me machucar. Se alguém pisar no meu pé ou enfiar um alfinete em mim, não faz a menor diferença, porque eu não posso sentir. Mas eu não quero que as pessoas me chamem de bobo, e se minha cabeça continuar cheia de palha em vez de um cérebro, como você tem, como é que eu jamais vou saber alguma coisa?

– Eu entendo como você se sente – disse a garotinha, que realmente estava com pena dele. – Se você quiser vir comigo, eu pedirei a Oz que faça tudo o que puder por você.

– Muito obrigado – respondeu ele, com gratidão.

Eles caminharam de volta para a estrada. Dorothy ajudou-o a pular a cerca e começaram a andar sobre o caminho de tijolos amarelos em direção à Cidade das Esmeraldas.

A princípio Totó não gostou desta adição no grupo. Ele ficou cheirando ao redor do homem estufado como se suspeitasse que poderia haver um ninho de ratos na palha, e às vezes rosnava, para demonstrar seu decontentamento para o Espantalho.

– Não se preocupe com Totó – disse Dorothy a seu novo amigo. – Ele nunca morde.

– Ora, eu não tenho medo – replicou o Espantalho – Ele não pode machucar palha. Deixe que eu carrego essa cesta para você. Não vai fazer a menor diferença, porque eu não posso me cansar. Vou-lhe contar um segredo – continuou ele, enquanto marchava a seu lado. – Há somente uma coisa no mundo de que tenho medo.

– E qual é? – perguntou Dorothy. – Tem medo do fazendeiro Munchkin que fez você?

– Não – respondeu o Espantalho. – Tenho medo de um fósforo aceso.

Capítulo 4

Depois de algumas horas, a estrada começou a ficar áspera e a caminhada tornou-se tão difícil que o Espantalho começou a tropeçar nos tijolos amarelos, que estavam ficando desparelhos. Algumas vezes, de fato, estavam quebrados ou faltavam alguns, deixando buracos sobre os quais Totó pulava enquanto Dorothy passava ao lado. Porém o Espantalho, que não tinha cérebro, caminhava sempre em frente e assim pisava dentro dos buracos e caía de corpo inteiro nos tijolos duros. Todavia isto não o feria e Dorothy o levantava e o colocava em pé de novo, enquanto riam alegremente, troçando de suas próprias dificuldades.

As fazendas desta região já não eram tão bem cuidadas como anteriormente. Havia menos casas e menos árvores frutíferas, e quanto mais avançavam, tanto mais desolado e solitário ficava o terreno.

Pelo meio-dia eles sentaram-se à beira da estrada, perto de um riachinho, e Dorothy abriu a sua cesta, tirando um pouco de pão. Ofereceu um pedaço ao Espantalho, mas ele recusou.

– Eu nunca sinto fome – disse ele –, o que é uma sorte, pois minha boca é pintada, e se eu cortasse um buraco nela para poder comer, a palha de que sou feito sairia para fora e isso deformaria a minha cabeça.

Dorothy logo percebeu que isto era verdade, então ela apenas fez que sim com a cabeça e continuou a comer o seu pão.

– Diga-me alguma coisa a seu respeito e sobre o país de onde vem – disse o Espantalho, quando ela tinha acabado de almoçar. E aí ela contou-lhe tudo a respeito do Kansas e de como todas as coisas eram cinzentas por lá e de como o ciclone a tinha carregado para esta bizarra Terra de Oz.

O Espantalho escutou cuidadosamente e disse:

– Eu não posso entender por que você deseja sair deste lindo país e voltar para o lugar seco e cinzento que você chama de Kansas.

– Isso é porque você não tem cérebro – respondeu a menina. – Não importa o quanto nossos lares sejam monótonos e cinzentos, nós, pessoas de carne e osso, preferimos morar lá do que em qualquer outro país, por mais bonito que seja. Não existe nenhum lugar como o nosso lar.

O Espantalho suspirou.

– É claro que eu não posso compreender – disse ele. – Se as suas cabeças fossem cheias de palha, como a minha, vocês provavelmente viveriam em lugares lindos, e então não haveria ninguém morando em Kansas. A sorte do Kansas é que vocês têm cérebros.

– Você não quer me contar uma história, enquanto estamos descansando? – pediu a criança.

O Espantalho olhou-a reprovadoramente e respondeu:

– Eu tenho tão pouco tempo de vida que realmente não sei de nada. Fui feito somente anteontem. O que aconteceu no mundo antes dessa data é totalmente desconhecido para mim. A sorte é que, quando o fazendeiro fez minha cabeça, uma das primeiras coisas que ele fez foi pintar minhas orelhas e assim eu pude escutar o que acontecia em volta. Havia outro Munchkin com ele e a primeira coisa que eu escutei foi o fazendeiro falando:

"– O que é que você acha dessas orelhas?

"– Não estão retas – respondeu o outro.

"– Não tem importância – disse o fazendeiro. – São orelhas mesmo assim – o que era bastante verdadeiro.

"– Agora eu vou fazer os olhos – disse o fazendeiro. Então ele pintou meu olho direito e, assim que ficou pronto, eu descobri que estava olhando para ele e para tudo o mais ao redor de mim com grande curiosidade, porque aquela era minha primeira visão do mundo.

"– Esse olho está muito bonito – observou o Munchkin que estava junto do fazendeiro. – A tinta azul é a melhor que existe para os olhos.

"– Acho que vou fazer o outro um pouco maior – disse o fazendeiro. E quando o segundo olho estava pronto, eu pude ver muito melhor do que antes. Então ele fez meu nariz e minha boca; mas eu não falei, porque na época eu não sabia para que servia uma boca. Achei muito divertido olhar enquanto eles faziam o meu corpo, meus braços e pernas; e quando eles finalmente prenderam minha cabeça no corpo, eu senti muito orgulho, porque achei que era um homem tão bom quanto qualquer outro.

– Esse camarada vai assustar os corvos bem depressa – disse o fazendeiro. – Ele parece ser um homem.

– Ora, ele é um homem – disse o outro, e eu concordei inteiramente com ele. O fazendeiro me carregou embaixo do braço até o milharal e me prendeu em um poste alto, lá onde você me encontrou. Ele e seu amigo logo foram embora e me deixaram sozinho.

"Eu não gostei de ser abandonado desta maneira e tentei segui-los, mas meus pés não tocavam o chão e eu fui obrigado a permanecer naquele poste. Foi uma vida muito solitária, porque eu não tinha nada em que pensar, tendo sido construído há tão pouco tempo. Muitos corvos e outros pássaros voavam sobre o milharal, mas assim que me viam, voavam de novo para longe, pensando que eu era um Munchkin; isto me agradava e fazia eu me sentir uma pessoa muito importante. Mas um dia um corvo velho voou perto de mim e, depois de me olhar com cuidado, pousou sobre meu ombro e disse: 'Será que aquele fazendeiro pretendia me enganar desta maneira tão estúpida? Qualquer corvo com um mínimo de bom-senso percebe que você é apenas um boneco cheio de palha.' Então ele pulou para meus pés e comeu todo o milho que queria. Os outros pássaros, vendo que ele não era atacado por mim, vieram comer o milho também, e logo havia um bando deles ao meu redor.

"Aquilo me deixou muito triste, porque percebi que no final das contas não era nem um bom Espantalho, mas o corvo velho me confortou, dizendo: 'Se ao menos tivesse um cérebro em sua cabeça, seria um homem tão bom como qualquer um deles e até melhor que alguns. O cérebro é a única coisa que vale a pena ter neste mundo, não importa se você é um corvo ou um ser humano'.

"Depois que os corvos se foram, fiquei pensando nisso e decidi que iria tentar de tudo o que pudesse para conseguir um cérebro. Por sorte, você apareceu e me tirou do poste. Considerando o que você diz, tenho certeza de que o Grande Oz vai me dar um cérebro assim que chegarmos na Cidade das Esmeraldas."

– Espero que sim – disse Dorothy, sinceramente –, uma vez que você parece tão ansioso para conseguir um.

– Oh, sim, estou ansioso – respondeu o Espantalho. – É um sentimento tão desconfortável saber que a gente é um bobo.

– Bem – disse a menina –, vamos embora. – E entregou a cesta ao Espantalho.

Agora não havia mais cercas ao lado da estrada e a terra parecia abandonada e sem cultivo. Ao entardecer, eles chegaram a uma grande floresta, onde as árvores cresciam tão altas e próximas que seus galhos se encontravam sobre a estrada de tijolos amarelos. Estava quase escuro sob elas, porque os galhos cortavam a luz do dia; mas os viajantes não pararam e seguiram floresta adentro.

– Se esta estrada entra, ela deve sair – disse o Espantalho. – E como a Cidade das Esmeraldas fica na outra ponta desta estrada, devemos passar por onde quer que ela nos conduza.

– Todo mundo sabe disso – falou Dorothy.

– Certamente; é por isso que eu também sei – retornou o Espantalho. – Se fosse necessário um cérebro para descobrir isso, eu jamais teria dito.

Depois de mais ou menos uma hora, a luz desapareceu e eles começaram a tropeçar no escuro. Dorothy não conseguia ver nada, mas Totó sim, porque alguns cães veem muito bem no escuro; e o Espantalho declarou que podia ver tão bem como se fosse dia. Assim, ela segurou seu braço e conseguiu prosseguir com segurança.

– Se você vir alguma coisa ou algum lugar em que possamos passar a noite – disse ela –, deve me dizer, porque é muito desconfortável caminhar no escuro.

Logo em seguida, o Espantalho parou.

– Eu vejo uma pequena choupana à nossa direita – disse ele – feita de troncos e galhos. Vamos até lá?

– Sim, é claro – respondeu a criança. – Estou exausta.

O Espantalho conduziu-a por entre as árvores até que chegaram à choupana. Dorothy entrou e encontrou uma cama de folhas secas em um canto. Deitou-se em seguida e, com Totó a seu lado, logo caiu em profundo sono. O Espantalho, que nunca se cansava, ficou de pé em outro canto, esperando pacientemente até que a manhã chegasse.

Capítulo 5

Quando Dorothy acordou, o sol já brilhava entre as árvores e Totó há muito tempo estava perseguindo os pássaros. E o Espantalho permanecia lá, parado pacientemente em seu canto, esperando por ela.

– Temos de sair para procurar água – disse ela.
– E para que você quer água? – perguntou ele.
– Para lavar o meu rosto da poeira da estrada e para beber, senão o pão seco vai grudar na minha garganta.
– Deve ser inconveniente ser feita de carne – disse o Espantalho, pensativamente. – Você tem que dormir, comer e beber. Entretanto, tem cérebro, e poder pensar vale muitos incômodos.

Eles deixaram a choupana e caminharam através das árvores até que encontraram uma pequena fonte de águas claras, onde Dorothy bebeu e se banhou e finalmente tomou o desjejum. Ela viu que não sobrava muito pão na cesta e agradeceu ao lembrar que o Espantalho não precisava comer, já que o que sobrava mal dava para ela e Totó até o fim do dia.

Quando acabou sua refeição e já pretendia voltar para a estrada de tijolos amarelos, levou um susto ao escutar um gemido profundo bem pertinho.

– Mas o que foi isso? – ela perguntou, timidamente.
– Não posso imaginar – replicou o Espantalho. – Mas podemos ir ver.

Nesse momento, outro gemido chegou a seus ouvidos e o som parecia vir bem de trás deles. Eles se voltaram e caminharam pela floresta alguns passos, até que Dorothy descobriu alguma coisa brilhando em um raio de sol que caía entre as árvores. Correu até o lugar e então parou, de repente, dando um grito de surpresa.

Uma grande árvore tinha sido parcialmente cortada, e parado ao lado dela, com um machado erguido em suas mãos, estava um homem feito inteiramente de lata. Sua cabeça, braços e pernas eram ligados por juntas a seu tronco, mas ele estava totalmente imóvel, como se não pudesse se mover.

Dorothy olhou para ele com espanto; o mesmo fez o Espantalho, enquanto Totó latia alto e tentava morder as pernas de lata, machucando os dentes.

– Foi você que gemeu? – perguntou Dorothy.

– Sim – respondeu o homem de lata. – Fui eu. Eu estou gemendo há mais de um ano e ninguém escutou antes nem veio me ajudar.

– O que eu posso fazer por você? – inquiriu ela, baixinho, porque estava comovida pela voz triste com que o homem falara.

– Pegue uma lata de óleo e esfregue nas minhas juntas – ele respondeu. – Elas estão tão enferrujadas que não posso movê-las; mas se eu for bem azeitado, logo estarei novo. Você vai encontrar uma lata de óleo em uma das prateleiras de minha choupana.

Dorothy correu para a choupana e encontrou a lata de óleo; depois voltou e perguntou ansiosamente:

– Onde estão as suas juntas?

– Azeite meu pescoço, primeiro – replicou o Lenhador de Lata.

Ela derramou o óleo, mas as juntas estavam tão enferrujadas que o Espantalho teve que segurar a cabeça de lata e movê-la gentilmente para um lado e para o outro até que o homem pudesse virar a cabeça sem ajuda.

– Agora azeite as juntas de meus braços – disse ele. E Dorothy colocou óleo enquanto o Espantalho as dobrava com cuidado até que ficaram inteiramente livres de ferrugem e tão boas como novas.

O Lenhador de Lata deu um suspiro de satisfação e baixou seu machado, que encostou no tronco da árvore.

– Isto é um grande conforto – disse ele. – Estou segurando este machado no ar desde que enferrujei e estou feliz de ser finalmente capaz de baixá-lo. Agora, se você azeitar as juntas de minhas pernas, eu ficarei totalmente novo.

Os dois passaram óleo em suas pernas até que ele pôde movê-las livremente e agradeceu-lhes muitas e muitas vezes por sua libertação, porque era uma criatura muito bem-educada e muito agradecida também.

– Eu poderia ter ficado parado para sempre se vocês não tivessem aparecido – disse ele. – Vocês salvaram a minha vida! Como foi que vieram para esses lados?

– Estamos a caminho da Cidade das Esmeraldas para ver o grande Oz – ela respondeu. – Paramos em sua choupana para passar a noite.

– E por que vocês querem ver Oz? – perguntou ele.

– Eu quero que ele me mande de volta para o Kansas e o Espantalho quer que ele ponha um pouco de cérebro na sua cabeça – replicou ela.

O Lenhador de Lata pareceu pensar profundamente por um momento. Então, ele disse:

– Vocês acham que Oz pode me dar um coração?

– Ora, eu acho que sim – respondeu Dorothy. – Seria tão fácil como dar um cérebro ao Espantalho.

– É verdade – retrucou o Lenhador de Lata. – Assim, se vocês me permitirem acompanhá-los, eu também irei à Cidade das Esmeraldas para pedir a Oz que me ajude.

– Pois então venha! – disse o Espantalho calorosamente; e Dorothy acrescentou que teria muito prazer em sua companhia. O Lenhador de Lata colocou o machado no ombro e passaram todos juntos pela floresta até que chegaram à estrada de tijolos amarelos.

O Lenhador de Lata pediu a Dorothy que colocasse a lata de óleo em sua cesta.

– Pode acontecer – disse ele – que eu pegue chuva de novo e, nesse caso, enferrujo outra vez e vou precisar muito da lata de óleo.

Eles tiveram bastante sorte em encontrar um novo camarada para unir-se ao grupo, porque, logo depois que tinham reiniciado sua jornada, chegaram a um lugar em que as árvores se espalhavam pela estrada tão próximas umas das outras que os viajantes não podiam passar. Então o Lenhador de Lata começou a trabalhar com seu machado e cortou tão bem que logo abriu uma passagem para todos.

Dorothy estava tão concentrada enquanto caminhavam, que nem percebeu quando o Espantalho tropeçou em um buraco e rolou para o lado da estrada. Ele foi obrigado a chamá-la para pedir-lhe ajuda a fim de ficar em pé de novo.

– Por que você não passou pelo lado do buraco? – perguntou o Lenhador de Lata.

– Por que eu não sabia – replicou alegremente o Espantalho. – Minha cabeça está cheia de palha, como você vê, e é por isso que estou indo a Oz a fim de pedir um cérebro.

– Ah, entendi – disse o Lenhador de Lata. – Mas, pensando bem, o cérebro não é a melhor coisa do mundo.

– Você tem um? – inquiriu o Espantalho.

– Não, minha cabeça está inteiramente vazia – respondeu o Lenhador de Lata. – Mas houve um tempo em que eu tinha cérebro e também um coração; e tendo experimentado os dois, eu realmente prefiro o coração.

– E por que isto? – perguntou o Espantalho.

– Eu vou contar a minha história, e então você saberá por quê.

Assim, enquanto caminhavam pela floresta, o Lenhador de Lata contou a seguinte história:

– Eu sou filho de um lenhador que cortava as árvores da floresta e vendia a madeira para viver. Quando cresci, virei lenhador também, e depois que meu pai morreu, tomei conta de minha velha mãe enquanto ela viveu. Então tomei a decisão de me casar para não ficar solitário.

"Havia uma das jovens Munchkin que era tão bela que entreguei a ela o meu coração. Ela, por sua vez, prometeu casar comigo assim que eu ganhasse o dinheiro suficiente para construir uma casa melhor para ela; então, eu me pus a trabalhar ainda mais do que antes. Mas a moça vivia com uma velha que não queria que ela casasse com ninguém, porque ela era muito preguiçosa e queria que a moça permanecesse com ela para cozinhar e limpar a casa. Assim a velha foi falar com a Bruxa Malvada do Leste e lhe prometeu duas ovelhas e uma vaca se ela evitasse o casamento. A Bruxa Malvada encantou meu machado e, quando eu estava cortando lenha com toda a disposição, pois estava ansioso para conseguir a casa nova e para poder casar, o machado escorregou de repente e cortou fora a minha perna esquerda.

"A princípio aquilo me pareceu uma grande desgraça, porque eu sabia que um homem de uma perna só não podia trabalhar muito bem como lenhador. Assim eu fui até um funileiro e fiz com que ele me fabricasse uma perna nova feita de lata. A perna funcionou muito bem, tão logo eu me acostumei com ela; mas isso enfureceu a Bruxa Malvada do Leste, pois ela tinha prometido à velha que eu não iria casar com a linda moça Munchkin. Quando eu comecei a cortar lenha de novo, meu machado escorregou e cortou fora minha perna direita. E outra vez eu fui ao funileiro e novamente ele me fabricou uma perna de lata. Depois disso, o machado encantado cortou os meus braços, um após o outro; mas eu não desisti e substituí os dois por braços de lata. A Bruxa Malvada então fez o machado escorregar e cortar fora a minha cabeça. Aí eu pensei que tinha chegado o meu fim. Mas o funileiro apareceu por acaso e me fez uma cabeça nova de lata.

"Eu pensei então que tinha derrotado a Bruxa Malvada e trabalhei com mais ânimo do que nunca, mas não sabia a que ponto a minha inimiga podia ser cruel. Ela pensou em uma nova maneira para destruir meu amor pela linda donzela Munchkin e fez com que meu machado escorregasse outra vez, de tal modo que cortou o meu tronco, dividindo-me em duas partes. Mais uma vez , o funileiro veio em meu auxílio e me fez um corpo de lata, prendendo a ele meus braços e pernas e até a cabeça por meio de juntas, de tal modo que eu podia me mover tão bem como antes. Mas ai de mim! Agora eu não tinha mais coração, e então perdi todo o meu amor pela jovem Munchkin e não me importava mais em casar com ela ou não. Eu suponho que ela ainda more com a velha, e esperando que eu vá buscá-la.

"Meu corpo brilhava tão forte ao sol que eu sentia muito orgulho dele e já não importava mais que meu machado escorregasse, porque não podia me cortar. Havia somente um perigo – que minhas juntas enferrujassem; mas eu mantinha uma lata de óleo em minha choupana e tinha o cuidado de me azeitar sempre que precisava. Todavia, chegou um dia em que eu me esqueci de fazer isso e, tendo sido apanhado por uma tempestade, antes que eu pensasse no perigo, minhas juntas tinham enferrujado, e assim eu fiquei parado no mato até que vocês chegaram para me ajudar. Foi terrível o que eu passei, porém durante o ano que eu fiquei ali tive tempo para pensar e descobrir que a pior perda que havia sofrido era a perda de meu coração. Enquanto estive apaixonado, eu era o homem mais feliz da Terra; mas quem não tem coração não pode amar, e assim eu resolvi ir até Oz e pedir-lhe que me dê um. Se ele me satisfizer, eu voltarei para a donzela Munchkin e casarei com ela."

Tanto Dorothy como o Espantalho tinham ficado extremamente interessados na história do Lenhador de Lata e agora sabiam porque ele estava tão ansioso para conseguir um novo coração.

– Seja como for – disse o Espantalho –, eu vou pedir um cérebro em vez de um coração; porque um bobo não ia saber o que fazer com um coração se tivesse um.

– Pois eu vou pedir um coração – replicou o Lenhador de Lata. – Porque um cérebro não torna uma pessoa feliz; e a felicidade é a melhor coisa do mundo.

Dorothy não disse nada, porque ela estava intrigada em descobrir qual de seus novos amigos estava certo; no fim ela concluiu que, contanto que conseguisse retornar ao Kansas para ficar perto da Tia Emily, ela não se importava muito se o Lenhador ficasse sem cérebro e o Espantalho sem coração, ou se cada um obtivesse justamente o que queria.

O que a preocupava mais era que o pão quase tinha acabado e outra refeição para si mesma e Totó ia deixar a cesta vazia. É claro que nem o Lenhador nem o Espantalho comiam alguma coisa, mas ela não era feita de lata nem de palha e não podia viver a não ser que se alimentasse.

Capítulo 6

Durante todo este tempo Dorothy e seus companheiros caminharam pela espessa mata. A estrada ainda era pavimentada com tijolos amarelos, mas estes na maior parte se achavam cobertos por galhos secos e folhas mortas, de tal modo que era muito difícil caminhar.

Havia poucos passarinhos nesta parte da floresta, porque os pássaros amam os espaços abertos, onde há bastante luz solar; mas de vez em quando se ouviam rugidos profundos de algum animal selvagem escondido entre as árvores. Estes sons faziam o coração da meninazinha bater mais depressa, pois ela não sabia que tipo de animal estaria emitindo; mas Totó sabia, e ele caminhava bem pertinho de Dorothy e nem sequer latia em resposta.

– Quanto tempo vai levar – perguntou a criança ao Lenhador de Lata – até que nós saiamos da floresta?

– Não sei dizer – foi a resposta –, porque eu nunca fui até a Cidade das Esmeraldas. Porém meu pai esteve lá uma vez, quando eu era menino; e ele disse que era uma longa jornada através de uma região perigosa, embora perto da cidade em que mora Oz haja uma região linda. Mas eu não tenho medo, enquanto tiver minha lata de óleo, e nada pode ferir o Espantalho; quanto a você, traz em sua testa a marca do beijo da Bruxa Boa, e isto a protegerá de todo o mal.

– Mas e Totó? – perguntou a menina ansiosamente. – Quem irá protegê-lo?

– Nós mesmos o protegeremos, se estiver em perigo – replicou o Lenhador de Lata.

Mal ele tinha acabado de falar e veio da floresta um terrível rugido, e no momento seguinte um Leão enorme saltou sobre a estrada. Com um golpe de sua pata jogou longe o Espantalho, que deu voltas e mais voltas até cair na beira da estrada; e então ele atingiu o Lenhador de Lata com suas garras afiadas. Porém, para a surpresa do Leão, este não fez a menor impressão na lata, embora o Lenhador tivesse caído na estrada e permanecido deitado bem quieto.

O pequeno Totó, agora que tinha um inimigo para enfrentar, correu latindo em direção ao Leão; a grande besta tinha aberto a boca para morder o cão, quando Dorothy, temendo que Totó fosse morto, sem se importar com o perigo, correu e deu um tapa no focinho do Leão o mais forte que pôde, enquanto gritava:

– Não ouse morder Totó! Você devia ter vergonha, um animal grande como é, mordendo um pobre cãozinho!

– Eu não mordi – disse o Leão, esfregando seu focinho com a pata no lugar em que Dorothy havia batido.

– Não, mas você tentou – retorquiu ela. – Você não passa de um grande covarde.

– Eu sei disso – falou o Leão, baixando a cabeça de vergonha. – Eu sempre soube disso. Mas como posso evitar?

– Eu não faço a menor ideia. Imagine! Pensar que você bateu em um homem de palha, como o pobre Espantalho!

– Ele é feito de palha? – perguntou o Leão, surpreendido, enquanto olhava a menina levantar o Espantalho e colocá-lo de pé, ao mesmo tempo que lhe dava tapinhas pelo corpo para que recuperasse a forma.

– É claro que ele é feito de palha – replicou Dorothy, que ainda estava zangada.

– Então foi por isso que ele caiu tão fácil – observou o Leão. – Fiquei espantadíssimo vendo que rodopiava tanto. O outro também é empalhado?

– Não – disse Dorothy. – Ele é feito de lata. – E ela ajudou o Lenhador a se levantar novamente.

– Foi por isso que ele quase entortou minhas garras – disse o Leão. – Quando elas arranharam contra a lata, fizeram um arrepio de frio correr pelas minhas costas. E o que é esse animalzinho de que você parece gostar tanto?

– É meu cachorro, Totó – respondeu Dorothy.

– Ele é feito de lata ou estufado? – perguntou o Leão.

– Nenhum dos dois. Ele é um cachorro de... de... de carne – disse a garota.

– Oh! Mas é um animal curioso e muito pequeno, agora que estou olhando com cuidado. Ninguém pensaria em morder uma coisinha assim, exceto um covarde como eu – continuou o Leão, tristemente.

– O que faz com que você seja covarde? – perguntou Dorothy, olhando maravilhada para o grande animal, porque ele tinha o tamanho de um cavalo pequeno.

– É um mistério – replicou o Leão. – Eu suponho que nasci assim. Todos os outros animais da floresta naturalmente esperam que eu seja corajoso, porque em toda a parte pensam que o Leão é o Rei dos Animais. Eu aprendi que se eu rugisse bem alto todas as coisas vivas ficavam assustadas e faziam a minha vontade. Sempre que eu encontrava um homem, ficava apavorado, mas bastava eu rugir para que ele corresse para longe o mais depressa que podia. Se os elefantes, os tigres e os ursos tivessem tentado lutar comigo alguma vez, era eu que teria corrido. Eu sou extremamente covarde. Mas assim que me escutam rugir, eles todos tentam sair de perto e naturalmente eu deixo que vão.

– Mas isso não está certo. O Rei dos Animais não pode ser covarde – disse o Espantalho.

– Eu sei disso – replicou o Leão, limpando uma lágrima dos olhos com a ponta de sua cauda. – É minha grande tristeza, e isto torna minha vida muito infeliz. Sempre que há perigo, meu coração começa a bater depressa.

– Talvez você sofra do coração – disse o Lenhador de Lata.

– Pode ser – concordou o Leão.

– Se você sofre do coração – continuou o Lenhador de Lata –, deve se dar por feliz, porque isto prova que tem um coração. Quanto a mim, não tenho coração, portanto não posso sofrer dele.

– Talvez – disse o Leão pensativamente. – Talvez, se eu não tivesse coração, não fosse um covarde.

– Você tem cérebro? – perguntou o Espantalho.

– Suponho que sim. Nunca olhei para ver – replicou o Leão.

– Eu estou indo visitar o grande Oz para pedir-lhe que me dê um cérebro – declarou o Espantalho –, porque minha cabeça está cheia de palha.

– Eu vou pedir-lhe que me dê um coração – disse o Lenhador.

– E eu vou pedir-lhe para mandar a mim e ao Totó de volta para o Kansas – acrescentou Dorothy.

— Vocês acham que Oz pode me dar coragem? — perguntou o Leão Covarde.

— Tão facilmente quanto ele pode me dar um cérebro — disse o Espantalho.

— Ou me dar um coração — disse o Lenhador de Lata.

— Ou me mandar de volta para o Kansas — disse Dorothy.

— Então, se vocês não se importam, eu vou junto — disse o Leão —, porque minha vida é simplesmente insuportável sem um pouco de coragem.

— Você será bem-vindo — respondeu Dorothy —, porque você vai nos ajudar a manter as outras feras selvagens a distância. A mim me parece que devem ser todas mais covardes do que você, se permitem que os assuste tão facilmente.

— Na verdade eles são — disse o Leão. — Mas isto não me torna mais corajoso; e enquanto eu souber que sou um covarde, vou continuar sendo infeliz.

Assim, uma vez mais o pequeno grupo encetou a jornada, com o Leão caminhando a passos majestosos ao lado de Dorothy. Totó a princípio não aprovou este novo camarada, porque não podia esquecer que quase tinha sido esmagado entre as grandes mandíbulas do Leão; mas após algum tempo ele ficou mais à vontade e no fim Totó e o Leão Covarde se tornaram bons amigos.

Durante o resto desse dia não ocorreu nenhuma outra aventura para perturbar a paz de sua jornada. É claro que uma vez o Lenhador de Lata pisou sobre um escaravelho que estava se arrastando pela estrada e matou a pobre coisinha. Isto deixou o Lenhador muito infeliz, porque ele sempre cuidava para não ferir qualquer criatura; e ele chorou muitas lágrimas de tristeza e de remorso. Estas lágrimas correram lentamente por sua face até chegarem às dobradiças de seu queixo, que enferrujaram. Quando Dorothy lhe fez uma pergunta, este não conseguiu abrir a boca, porque suas mandíbulas estavam enferrujadas. Ele ficou muito assustado e fez vários movimentos para que Dorothy o ajudasse, mas ela não conseguia entender. O Leão também ficou intrigado para saber o que havia de errado. Mas o Espantalho pegou a lata de óleo da cesta de Dorothy e azeitou as mandíbulas do Lenhador, e dentro de alguns momentos ele já podia falar tão bem como antes.

– Isto vai me servir de lição – disse ele – para olhar onde piso. Se eu matar outro besouro ou escaravelho, sem a menor dúvida vou chorar de novo, e o choro enferruja meu queixo e aí eu não posso falar.

A partir daí ele caminhou muito cuidadosamente, com seus olhos no pavimento da estrada, e quando ele via uma minúscula formiga pelo caminho, dava um passo por cima, de modo a não machucá-la. O Lenhador de Lata sabia muito bem que não tinha coração, e portanto tomava todo o cuidado para não ser mau ou grosseiro com ninguém.

– Vocês pessoas com coração – disse ele – possuem alguma coisa que as orienta e nunca precisam agir mal; mas eu não tenho coração, então devo ser muito cuidadoso. Quando Oz me der um coração, é claro que não vou precisar me preocupar tanto.

Capítulo 7

Eles foram obrigados a acampar ao relento nessa noite, sob uma grande árvore da floresta, porque não existiam casas por perto. A árvore proveu uma cobertura boa para protegê-los do sereno, e o Lenhador de Lata cortou uma grande pilha de lenha com seu machado e Dorothy acendeu uma bela fogueira que a aqueceu e fez com que se sentisse menos solitária. Ela e Totó comeram o resto do pão, e agora ela não sabia o que iriam ter para o desjejum do dia seguinte.

– Se você quiser – disse o Leão –, eu posso entrar na floresta e matar um veado para você comer. Você pode assá-lo no fogo, já que tem um gosto tão peculiar que prefere comida cozida; e então você terá uma refeição muito boa.

– Não! Por favor, não! – suplicou o Lenhador de Lata. – Se você matar um pobre veado, eu certamente vou chorar, e então minhas mandíbulas vão ficar enferrujadas de novo.

Mas o Leão saiu pela floresta e encontrou seu próprio jantar, que ninguém ficou sabendo o que era, porque ele não mencionou. E o Espantalho encontrou uma árvore cheia de nozes e encheu a cesta de Dorothy com elas, de modo que ela não ia passar fome por muito tempo. Ela achou aquilo muito gentil e atencioso da parte do Espantalho, mas riu alegremente da maneira desajeitada com a qual a criatura apanhou as nozes. Suas mãos empalhadas eram tão sem jeito e as nozes eram tão pequenas que ele derrubava quase tantas quantas punha na cesta. Mas o Espantalho não se importava com o tempo que levasse para encher a cesta, porque só assim ele ficava longe do fogo, já que tinha medo de que uma fagulha saltasse em sua palha e o queimasse. Assim ele manteve boa distância das chamas e somente chegou perto para cobrir Dorothy com folhas secas quando ela se deitou para dormir. As folhas a mantiveram bem quentinha e confortável, e ela dormiu profundamente até de manhã.

Quando surgiu a luz do sol, a garota banhou seu rosto em um riachinho de águas límpidas e logo depois todos partiram para a Cidade das Esmeraldas.

Este dia preparava uma porção de surpresas para os viajantes. Eles não tinham caminhado bem uma hora quando viram diante de si uma larga vala que cruzava a estrada e dividia a floresta até onde podiam ver de ambos os lados. Era uma vala muito larga e quando eles chegaram até a beirada e olharam para dentro, puderam ver que era igualmente muito profunda e que havia muitas rochas grandes e pontiagudas no fundo. Os lados eram tão íngremes que nenhum deles podia descer e, por um momento, lhes pareceu que sua jornada tivesse chegado ao fim.

– O que vamos fazer? – perguntou Dorothy, desesperada.

– Eu não tenho a menor ideia – disse o Lenhador de Lata; e o Leão sacudiu sua juba emaranhada com um ar pensativo.

Mas o Espantalho disse:

– Certamente não podemos voar, muito menos descer para dentro desta grande vala. Portanto, se não pudermos pular por cima, devemos parar onde estamos.

– Eu acho que eu posso pular por cima – disse o Leão Covarde, depois de medir cuidadosamente a distância com os olhos.

– Então está tudo bem – respondeu o Espantalho –, pois você pode nos carregar nas costas, um de cada vez.

– Bem, eu vou tentar – disse o Leão. – Quem vai primeiro?

– Vou eu – declarou o Espantalho – porque, se você descobrir que não pode pular por cima desse precipício, Dorothy vai morrer ou o Lenhador de Lata vai ficar todo amassado nas rochas lá embaixo. Mas se for eu que estiver em suas costas, a queda não vai importar muito, porque eu não posso mesmo me machucar.

– Eu estou com um medo enorme de cair – disse o Leão Covarde –, mas suponho que a única coisa a fazer é experimentar. Assim, suba nas minhas costas e vamos tentar.

O Espantalho sentou-se nas costas do Leão e a grande fera caminhou até a beirada da vala e agachou-se para pular.

– Por que você não dá uma corrida antes de pular? – perguntou o Espantalho.

– Porque não é assim que os Leões fazem essas coisas – replicou ele.

Então, dando um grande salto, lançou-se pelo ar e aterrissou em segurança do outro lado. Todos ficaram muito contentes ao verem a facilidade com que ele fez aquilo. Depois que o Espantalho desceu de suas costas, o Leão pulou de volta sobre a vala.

Dorothy achou que seria a próxima; então ela pegou Totó nos braços e trepou nas costas do Leão, segurando firmemente sua juba com uma das mãos. No momento seguinte, pareceu que ela estava voando pelo ar; e então, antes que tivesse tempo sequer de pensar, já estava em segurança do outro lado. O Leão pulou de volta novamente e apanhou o Lenhador de Lata, e depois todos se sentaram durante alguns momentos a fim de dar tempo à fera de descansar, pois os saltos tinham cortado a respiração dele, que resfolegava como um cachorro grande que tivesse corrido demais.

A floresta era muito espessa do outro lado, com um aspecto triste e sombrio. Depois que o Leão descansou, eles recomeçaram o caminho ao longo da estrada de tijolos amarelos, imaginando silenciosamente, cada um em sua própria mente, se algum dia chegariam ao fim da floresta e atingiriam a clara luz do sol novamente. Para aumentar seu desconforto, logo começaram a escutar estranhos ruídos vindos das profundezas da floresta e o Leão murmurou que era nesta parte do mato que viviam os Kalidás.

– O que são os Kalidás? – quis saber a menina.

– São bestas monstruosas com corpos de urso e cabeças de tigre – replicou o Leão –, e com garras tão longas e pontiagudas que poderiam me rasgar em dois tão facilmente como eu poderia matar Totó. Eu tenho um medo terrível dos Kalidás.

– Não me surpreende que você tenha – retornou Dorothy. – Eles devem ser feras terríveis.

O Leão estava a ponto de replicar quando de repente eles chegaram a outra vala que cruzava a estrada; só que esta era tão larga e tão profunda que o Leão percebeu logo que não poderia pular sobre ela.

Assim, eles sentaram para considerar o que deveriam fazer e, após pensar muito seriamente, o Espantalho disse:

— Estão vendo aquela grande árvore, bem pertinho da vala? Se o Lenhador de Lata puder cortá-la de modo que caia com a copa para o outro lado da vala, nós poderemos caminhar por cima facilmente.

— Mas esta é uma ideia de primeira classe — disse o Leão. — Eu quase suspeito que você tem um cérebro dentro da cabeça, em vez de palha.

O Lenhador pôs-se a trabalhar e tão afiado era o seu machado que o tronco da árvore logo foi cortado quase inteiramente. Então o Leão colocou suas fortes patas dianteiras contra ele e empurrou com toda a força. Lentamente, a grande árvore inclinou-se e caiu com estrondo sobre a vala, a copa atingindo o outro lado.

Mal eles tinham começado a cruzar a estranha ponte, quando um rugido forte se fez ouvir e todos olharam em volta. Para seu horror, eles viram correndo em sua direção duas grandes feras com corpos que pareciam de urso e cabeças de tigre.

— São os Kalidás! — gritou o Leão Covarde, começando a tremer.

— Depressa! — gritou o Espantalho. — Vamos atravessar!

Assim Dorothy foi primeiro, carregando Totó em seus braços; o Lenhador de Lata seguiu logo depois, e o Espantalho foi o próximo. O Leão, embora certamente estivesse com medo, voltou-se para enfrentar os Kalidás, e então soltou um rugido tão alto e terrível que Dorothy gritou e o Espantalho caiu de costas, ao passo que as ferozes bestas pararam de repente e o contemplaram surpresas.

Percebendo que eram maiores que o Leão e lembrando-se de que eram dois, enquanto ele estava sozinho, os Kalidás novamente correram em sua direção e o Leão cruzou pela árvore e virou-se para ver o que faria a seguir. Sem parar um instante, as ferozes bestas também começaram a cruzar por cima da árvore e o Leão disse a Dorothy:

– Estamos perdidos, certamente eles vão nos fazer em pedaços com suas garras pontiagudas. Fique bem por trás de mim, pois vou combatê-los enquanto permanecer vivo.

– Espere um minuto! – gritou o Espantalho.

Ele ficara pensando na melhor coisa a fazer e decidira pedir ao Lenhador que cortasse a ponta da árvore que estava apoiada no seu lado da vala. O Lenhador de Lata começou a usar seu machado em seguida e bem na hora em que os dois Kalidás quase tinham atravessado, a árvore caiu com um estrondo dentro da vala, carregando as bestas com ela, as quais não pararam de rugir até que se desfizeram em pedaços nas rochas pontiagudas do fundo.

– Bem – disse o Leão Covarde, com um longo suspiro de alívio. – Creio que vamos viver por mais algum tempo e estou feliz com isso, porque não estar vivo deve ser uma coisa muito desagradável. Essas criaturas me assustaram tanto que meu coração está batendo até agora!

– Ah! – disse o Lenhador de Lata, tristemente. – Eu gostaria de ter um coração para bater no meu peito.

Esta aventura deixou os viajantes mais ansiosos do que nunca para sair da floresta e caminharam tão depressa que logo Dorothy se cansou e teve de montar nas costas do Leão. Para sua grande alegria, as árvores começaram a ficar mais esparsas à medida que avançavam, e pela tarde eles chegaram a um largo rio de águas velozes. Do outro lado do rio dava para ver a estrada de tijolos amarelos atravessando campos lindos, com pradarias verdes pontilhadas de flores magníficas. Toda a estrada estava bordejada de árvores, das quais pendiam em quantidade deliciosos frutos. Eles ficaram muito contentes de ver esta paisagem maravilhosa à sua frente.

– Mas como vamos cruzar o rio? – indagou Dorothy.

– Isso é fácil – replicou o Espantalho. – O Lenhador de Lata pode construir uma jangada e assim navegaremos para o outro lado.

O Lenhador tomou de seu machado e começou a cortar árvores pequenas a fim de construir a jangada, e enquanto este se ocupava nesta tarefa, o Espantalho encontrou à margem do rio uma árvore cheia de belos frutos. Isto agradou muito a Dorothy, que tinha comido apenas nozes durante todo o dia, e ela fez uma refeição deliciosa com os frutos maduros.

Mas leva tempo para se construir uma jangada, mesmo com uma pessoa tão hábil e incansável como era o Lenhador de Lata; assim, quando caiu a noite, o trabalho não estava terminado. E assim eles tiveram de encontrar um lugar confortável sob as árvores, onde dormiram muito bem até a manhã seguinte; e Dorothy sonhou com a Cidade das Esmeraldas e com o bom Mágico de Oz, que logo a mandaria de volta para seu próprio lar.

Capítulo 8

Nosso pequeno grupo de viajantes acordou-se na manhã seguinte descansado e cheio de esperanças e Dorothy tomou um café da manhã digno de uma princesa, comendo os pêssegos e as ameixas das árvores ao longo do rio. Por trás deles, estava a floresta escura pela qual haviam passado em segurança, embora tivessem enfrentado muitos desafios; porém, diante deles, viam uma região linda e ensolarada que parecia atraí-los para a Cidade das Esmeraldas.

É claro que o rio largo os separava dessa linda terra, mas a jangada estava quase pronta, e depois que o Lenhador de Lata cortou mais alguns troncos e prendeu uns aos outros com cavilhas de madeira, eles estavam prontos para partir.

Dorothy sentou-se no meio da jangada com Totó em seus braços. Quando o Leão Covarde pisou na jangada, esta se desequilibrou, porque ele era grande e pesado; então o Espantalho e o Lenhador de Lata subiram do outro lado a fim de equilibrá-la, e com longas varas empurraram a jangada sobre a água.

Eles se deram muito bem a princípio, porém, quando chegaram do meio do rio, a rápida corrente empurrou a jangada rio abaixo, cada vez mais longe da estrada de tijolos amarelos; e a água ficou tão profunda que as longas varas não tocavam mais o fundo do rio.

– A coisa está feia – disse o Lenhador de Lata –, porque, se não pudermos chegar em terra, seremos carregados para o país da Bruxa Malvada do Oeste e ela vai nos encantar e transformar em escravos.

– E aí eu não vou conseguir um cérebro – disse o Espantalho.

– E eu não vou ter coragem – disse o Leão Covarde.

– E eu não vou conseguir um coração – disse o Lenhador de Lata.

– E eu nunca vou voltar para o Kansas – disse Dorothy.

– Nós certamente temos de ir até a Cidade das Esmeraldas, se pudermos – continuou o Espantalho; e empurrou sua longa vara com tanta força que ela se enterrou na lama do fundo do rio; antes que ele pudesse puxá-la de volta ou largá-la, a jangada foi arrastada para longe e o pobre Espantalho ficou para trás, pendurado na vara bem no meio do rio.

– Adeus! – ele gritou, e todos ficaram muito tristes por terem que abandoná-lo; na verdade, o Lenhador de Lata começou a chorar, mas por sorte lembrou-se de que podia enferrujar e assim secou suas lágrimas no avental de Dorothy.

Naturalmente, isto foi muito ruim para o Espantalho.

– Estou pior do que quando encontrei Dorothy pela primeira vez – pensou ele. – Naquela época eu estava preso a um poste no meio de um milharal, onde pelo menos podia fingir que assustava os corvos; sem a menor dúvida um Espantalho não serve para nada preso em uma vara no meio de um rio. Tenho medo de não conseguir meu cérebro, depois de tanto trabalho!

A jangada flutuou corrente abaixo e o pobre Espantalho ficou para trás.

Então, o Leão disse:

– Temos que fazer alguma coisa para nos salvar. Eu acho que posso nadar até a margem e puxar a jangada atrás de mim, desde que vocês segurem firme a ponta de meu rabo.

Dizendo isso, saltou para dentro da água, o Lenhador de Lata agarrou firme em sua cauda, e o Leão começou a nadar com toda a força em direção à praia. Foi uma tarefa árdua, mesmo sendo ele tão grande; mas eles conseguiram sair da corrente principal, e então Dorothy pegou a longa vara do Lenhador de Lata e ajudou a empurrar a jangada para a terra.

Todos estavam cansados quando chegaram à margem e finalmente pisaram sobre a bonita relva; mas sabiam que a corrente os carregara para muito longe da estrada de tijolos amarelos que levava à Cidade das Esmeraldas.

– O que vamos fazer agora? – perguntou o Lenhador de Lata, enquanto o Leão se deitava na grama para que o sol o secasse.

– Devemos dar um jeito de retornar à estrada – disse Dorothy.

– O melhor jeito seria caminhar ao longo da margem do rio até chegarmos de volta à estrada – observou o Leão.

Assim, tão logo tinham descansado, Dorothy pegou sua cesta e começaram a caminhar ao longo da margem, de volta para a estrada da qual o rio os havia afastado. Era uma região linda, com quantidade de flores e árvores frutíferas e a luz do sol para alegrá-los; se não estivessem tão tristes por causa do pobre Espantalho, poderiam ter-se sentido muito felizes.

Eles subiram a margem do rio o mais depressa que podiam. Dorothy só parou uma vez para apanhar uma flor linda; depois de algum tempo, o Lenhador de Lata gritou:

– Olhem!

Então todos olharam para o rio e viram o Espantalho empoleirado em sua vara bem no meio da água, muito solitário e infeliz.

– O que podemos fazer para salvá-lo? – perguntou Dorothy.

Tanto o Leão como o Lenhador sacudiram as cabeças, porque não sabiam a resposta. Assim, eles ficaram sentados sobre a margem, olhando com tristeza e ansiedade para o Espantalho, até que uma Cegonha veio voando e, ao vê-los, parou para descansar à beira da água.

– Quem são vocês e para onde estão indo? – perguntou a Cegonha.

– Eu sou Dorothy – respondeu a garota. – E estes são os meus amigos, o Lenhador de Lata e o Leão Covarde; e nós estamos indo para a Cidade das Esmeraldas.

– Mas a estrada não é esta – disse a Cegonha, enquanto retorcia seu longo pescoço e olhava firmemente para o estranho grupo.

– Eu sei disso – respondeu Dorothy –, mas nós perdemos o Espantalho e estamos imaginando o que fazer para pegá-lo de volta.

– E onde está ele? – quis saber a Cegonha.

– Lá no meio do rio – respondeu a menina.

– Se ele não fosse tão grande e pesado, eu podia trazê-lo para vocês – observou a Cegonha.

– Mas ele não é nem um pouquinho pesado – disse

Dorothy ansiosamente. – Ele está cheio de palha; e se você o trouxer de volta para nós, vamos ser gratos por toda a vida.

– Bem, eu vou tentar – disse a Cegonha. – Mas se eu achar que ele é pesado demais para mim, eu vou ter de largá-lo de volta no rio.

Assim, a grande ave voou sobre a água até que chegou no lugar onde o Espantalho estava empoleirado em sua vara. Então, com suas grandes patas agarrou o Espantalho pelo braço, ergueu-o no ar e carregou-o de volta para a margem, para o local em que Dorothy, o Leão, o Lenhador de Lata e Totó estavam sentados.

Quando o Espantalho percebeu que estava de novo no meio de seus amigos, ficou tão contente que abraçou um por um, até mesmo o Leão e o Totó; e depois que iniciaram a caminhada, ele cantava "Tralalalá" a cada passo, de tão alegre que estava.

– Eu estava com medo de ter de ficar no rio para sempre – disse ele. – Mas aquela boa Cegonha me salvou, e se algum dia eu tiver cérebro, vou encontrá-la outra vez e fazer-lhe alguma gentileza como recompensa.

– Não se preocupe – disse a Cegonha, que estava voando ao lado deles. – Eu gosto de ajudar qualquer pessoa que esteja em dificuldades. Mas agora tenho de ir, porque meus bebês estão esperando por mim no ninho. Espero que vocês encontrem a Cidade das Esmeraldas e que Oz os ajude.

– Muito obrigada – replicou Dorothy. E então a boa Cegonha voou pelos ares e logo se perdeu a distância.

Eles seguiram juntos, escutando o canto dos pássaros de cores vivas e olhando para as belas flores, que agora eram tantas que o solo estava coberto delas. Havia botões grandes, amarelos, brancos, azuis e roxos, além de grandes touceiras de papoulas escarlates, de uma cor tão vibrante que quase ofuscavam os olhos de Dorothy.

– Olhem como são lindas! – fez a menina, enquanto aspirava o perfume das flores.

– Suponho que sejam – respondeu o Espantalho. – Quando eu tiver um cérebro, provavelmente vou gostar mais delas.

– Se ao menos eu tivesse um coração, eu as amaria – acrescentou o Lenhador de Lata.

– Eu realmente sempre gostei das flores – disse o Leão. – Elas parecem tão frágeis! Mas na floresta não existe nenhuma que seja tão magnífica como estas.

Eles agora viam cada vez mais as grandes papoulas escarlates e cada vez menos as outras flores; e logo se acharam no meio de uma grande planície de papoulas. Ora, acontece que todo mundo sabe que quando há muita quantidade dessas flores juntas, seu odor é tão poderoso que qualquer pessoa que o respira adormece; e se a pessoa adormecida não for carregada para longe do perfume das flores, então vai dormir para sempre. Mas Dorothy não sabia disso, nem conseguia se afastar das magníicas flores vermelhas que estavam por toda a parte; e por fim, seus olhos ficaram pesados e ela sentiu que precisava sentar para descansar e dormir.

Só que o Lenhador de Lata não queria deixá-la fazer isso.

– Temos que nos apressar para retornar à estrada dos tijolos amarelos antes que escureça – disse ele. E o Espantalho concordou. Assim, eles prosseguiram na caminhada, até que Dorothy não aguentou mais.

Seus olhos fecharam contra a sua própria vontade e ela esqueceu-se de onde estava e caiu entre as papoulas, ferrada no sono.

– O que vamos fazer? – perguntou o Lenhador de Lata.

– Se nós a deixarmos aqui, ela vai morrer – disse o Leão. – O cheiro das flores vai nos matar a todos. Eu mesmo mal consigo manter os olhos abertos e o cachorro já está dormindo.

Era verdade: Totó tinha caído ao lado de sua jovem dona. Mas o Espantalho e o Lenhador de Lata, que não eram feitos de carne, não eram perturbados pelo perfume das flores.

– Corra depressa – disse o Espantalho ao Leão – e saia deste canteiro de flores mortal o mais depressa que puder. Nós levaremos a garotinha conosco, mas se você pegar no sono, é grande demais para ser carregado.

Assim, o Leão despertou e começou a saltar para a frente tão depressa quanto podia. Em pouco tempo, já estava fora da vista.

– Vamos fazer uma cadeirinha com as mãos e carregá-la – disse o Espantalho.

Apanharam Totó, puseram o cachorro no colo de Dorothy e então fizeram uma cadeirinha usando as mãos como assento e os braços como beiradas – e assim carregaram a menina adormecida através das flores.

Eles caminharam e caminharam e parecia que o grande tapete de flores mortais que os rodeava não ia acabar nunca. Seguiram as curvas do rio e finalmente chegaram aonde se achava o seu amigo, o Leão, que estava ferrado no sono entre as papoulas. O odor das flores tinha sido forte demais para a imensa fera e ele acabara desistindo, caindo a uma curta distância do final da plantação de papoulas, onde a grama delicada se espalhava em maravilhosos campos verdejantes.

– Não podemos fazer nada por ele – disse o Lenhador de Lata, tristemente. – Ele é grande demais para ser erguido. Teremos de deixá-lo aqui, dormindo para sempre, e talvez ele sonhe que finalmente encontrou a coragem.

– Eu sinto muito – disse o Espantalho. – O Leão era um camarada muito bom, mesmo sendo tão covarde. Vamos em frente.

Eles carregaram a menina adormecida até um lugar bonito ao lado do rio, longe o bastante do campo de papoulas para evitar que ela respirasse de novo o veneno das flores. Lá eles a deitaram gentilmente na grama macia e esperaram que a brisa fresca a acordasse.

Capítulo 9

– Não podemos estar muito longe da estrada de tijolos amarelos agora – observou o Espantalho, parado ao lado da menina –, porque já andamos quase a mesma distância que o rio nos arrastou.

O Lenhador de Lata já ia responder quando escutou um rosnado baixo e sua cabeça (que funcionava muito bem com suas dobradiças), viu uma besta estranha se aproximar aos pulos por entre o capim, em direção a ele. Na realidade, era um grande gato selvagem amarelo e o Lenhador imaginou que deveria estar perseguindo alguma coisa, porque suas orelhas estavam grudadas à cabeça e a boca bem aberta, mostrando duas fileiras de dentes horríveis, e os olhos vermelhos brilhavam como bolas de fogo. Assim que chegou mais perto, o Lenhador de Lata percebeu que, fugindo da fera, estava um pequeno rato cinzento do campo; embora não tivesse coração, sabia que era errado o gato selvagem tentar matar uma criatura tão bonita e inofensiva.

Assim, o Lenhador ergueu o seu machado e quando o gato do mato passou por ele, deu-lhe um golpe rápido que cortou a cabeça, separando-a completamente do corpo; e o animal rolou a seus pés em dois pedaços.

O rato do campo, agora livre de seu inimigo, parou imediatamente; e volvendo-se lentamente para o Lenhador, disse, com uma vozinha fina e esganiçada:

– Oh, muito obrigada! Muito obrigada mesmo, por salvar minha vida!

– Não me agradeça, eu lhe peço – replicou o Lenhador. – Você sabe, eu não tenho coração, por isso tenho a preocupação de ajudar todos que possam precisar de um amigo, ainda que seja somente um ratinho.

– Somente um ratinho! – gritou o animalzinho, indignado. – Ora, eu sou uma rainha. Sou a Rainha de todos os Ratos do Campo!

– Ora, vejam só! – disse o Lenhador, curvando-se perante ela.

– Você realizou um grande feito, um ato de grande coragem, ao salvar minha vida – acrescentou a Rainha.

Nesse momento, diversos ratos chegaram correndo, tão depressa quanto suas patinhas os podiam carregar – e quando viram sua Rainha, exclamaram:

– Oh, Majestade, pensamos que ia ser assassinada! Como conseguiu escapar do grande Gato Selvagem?

E fizeram uma reverência tão grande perante a pequena Rainha que quase ficaram de cabeça para baixo.

– Foi este engraçado homem de lata – respondeu ela. – Ele matou o Gato Selvagem e salvou minha vida. Portanto, a partir de agora, todos vocês devem servi-lo e obedecer a seu menor desejo.

– Nós obedeceremos! – gritaram todos os ratos, em um coro esganiçado. E então se espalharam por todas as direções, porque Totó tinha acordado de seu sono, e ao ver os camundongos ao seu redor, deu um latido de alegria e saltou bem no meio do grupo. Totó sempre adorara perseguir ratinhos quando morava no Kansas, e não achava mal nenhum nisso.

Mas o Lenhador de Lata segurou o cãozinho em seus braços bem apertado, ao mesmo tempo que chamava os ratos de volta:

– Podem retornar! Podem retornar! Totó não vai machucá-los!

Ouvindo isto, a Rainha dos Ratos ergueu a cabeça, saindo de baixo de um tufo de capim, e perguntou, com uma voz tímida:

– Você tem certeza de que ele não vai nos morder?

– Eu não vou deixar – disse o Lenhador. – Não precisa ter medo.

Um por um, os ratinhos voltaram, se arrastando pelo chão, e Totó não latiu de novo, embora tentasse sair dos braços do Lenhador. Na verdade, ele até o teria mordido, mas sabia muito bem que ele era feito de lata. Finalmente, um dos ratos maiores falou:

– Será que existe alguma coisa que nós possamos fazer – perguntou ele – a fim de recompensá-lo por ter salvo a vida de nossa Rainha?

– Que eu saiba, não – respondeu o Lenhador.

Porém, o Espantalho, que vinha tentando pensar, mas não conseguia, porque sua cabeça estava cheia de palha, disse, rapidamente:

– Oh, sim! Vocês podem salvar nosso amigo, o Leão Covarde, que está adormecido no canteiro das papoulas.

– Um leão! – gritou a pequena Rainha. – Ora, ele vai nos devorar a todos!

– Que nada – declarou o Espantalho. – Este Leão é um covarde.

– Verdade? – perguntou o rato.

– É ele mesmo quem diz – respondeu o Espantalho. – E ele jamais machucaria qualquer um que fosse nosso amigo. Se vocês nos ajudarem a salvá-lo, eu prometo que ele vai tratar a todos com muita bondade.

– Muito bem – disse a Rainha –, nós confiaremos em você. Mas o que devemos fazer?

– Existem muitos destes ratos que a chamam de Rainha e que estão dispostos a obedecê-la?

– Oh, sim, há milhares – replicou ela.

– Então, mande chamá-los o mais depressa possível e que cada um traga um pedaço comprido de cordão.

A Rainha voltou-se para os ratinhos que a acompanhavam e disse-lhes que partissem de imediato para reunir todo o seu povo. Assim que escutaram suas ordens, eles correram em todas as direções o mais rápido possível.

– Agora – disse o Espantalho ao Lenhador de Lata –, você deve ir até aquelas árvores junto à margem do rio e fazer uma carroça forte o bastante para carregar o Leão.

E o Lenhador foi imediatamente para o o local indicado e começou a trabalhar. Rapidamente ele construiu uma carroça grande com galhos de árvores, dos quais cortou todas as folhas e raminhos. Ele prendeu os galhos entre si com cavilhas de madeira e fabricou quatro rodas com pedaços estreitos de um grande tronco. Trabalhou tão depressa e tão bem, que quando os ratinhos começaram a chegar, a carroça já estava pronta.

Eles vieram de todas as direções e chegaram aos milhares: ratos grandes e ratos pequenos e ratos de tamanho médio; e cada um trazia um pedaço de cordão na boca. Foi mais ou menos nesta hora que Dorothy se acordou do longo sono e abriu os olhos. Ela ficou assombrada de se encontrar deitada na grama, com milhares de ratinhos em volta olhando timidamente para ela.

O Espantalho contou-lhe tudo e, voltando-se para a pequena Rata, cheia de dignidade, ele disse:

– Permita-me apresentá-la a Sua Majestade, a Rainha.

Dorothy inclinou-se gravemente e a Rainha fez uma reverência, depois do que as duas ficaram muito amigas.

O Espantalho e o Lenhador começaram a amarrar os ratos à carroça, usando os cordões que eles tinham trazido. Uma ponta do cordão era amarrada ao redor do pescoço de cada ratinho e a outra era presa na carroça. É claro que a carroça era mil vezes maior que qualquer um dos ratinhos que deveriam puxá-la; mas quando todos os animaizinhos tinham sido atrelados, foram capazes de puxá-la com facilidade.

Até mesmo o Espantalho e Lenhador de Lata puderam sentar sobre ela e foram puxados rapidamente por seus estranhos cavalinhos até o lugar em que o Leão jazia adormecido.

Depois de muito trabalho, porque o Leão era pesado, conseguiram colocá-lo em cima da carroça. Então a Rainha, apressadamente, deu a seu povo ordem para começar; ela temia que, se permanecessem entre as papoulas por muito tempo, os ratinhos também caíssem no sono.

A princípio as criaturinhas, mesmo sendo muitas, mal podiam mover a carroça de tão pesada que estava; mas o Lenhador e o Espantalho empurraram na parte de trás e logo melhorou. Em pouco tempo, puxaram o Leão para fora do canteiro de papoulas para os campos verdes, em que ele podia respirar o doce ar fresco novamente, ao invés do cheiro venenoso das flores.

Dorothy veio encontrá-los e agradeceu calorosamente aos ratinhos por terem salvo seu companheiro da morte certa. Ela tinha ficado tão amiga do grande Leão, que estava feliz por seu resgate.

Os ratos foram desatrelados da carroça e se retiraram através do capinzal, cada um em direção à sua própria casa. A Rainha dos Ratos foi a última a partir.

– Se vocês precisarem de nós outra vez – disse ela –, vão até o campo e chamem, pois nós escutaremos e viremos em seu auxílio. Adeus!

– Adeus! – responderam todos eles. E a Rainha correu para longe, enquanto Dorothy segurava Totó firmemente, para que ele não corresse atrás dela e a assustasse.

Depois de tudo, todos sentaram ao lado do Leão até que ele despertasse; e o Espantalho trouxe para Dorothy algumas frutas de uma árvore próxima, que ela comeu na hora do jantar.

Capítulo 10

Passou bastante tempo até que o Leão Covarde acordasse, pois ele tinha ficado por um longo período entre as papoulas, respirando sua fragrância mortal; mas quando ele abriu os olhos e rolou para fora da carroça, ficou muito contente por ainda estar vivo.

– Eu corri o mais depressa que pude – disse ele, sentando-se e bocejando. – Mas as flores eram fortes demais para mim. Como foi que vocês me tiraram de lá?

Então, eles lhe contaram a respeito dos ratos do campo e da generosidade com que o haviam salvo da morte; e o Leão Covarde riu e disse:

– Eu sempre pensei ser muito grande e terrível; todavia, coisinhas tão pequenas como flores quase me mataram e animaizinhos tão minúsculos como os ratos salvaram minha vida. Como tudo isso é estranho! Bem, camaradas, o que vamos fazer agora?

– Devemos continuar a viagem até encontrarmos a estrada de tijolos amarelos novamente – disse Dorothy. – E então continuamos até a Cidade das Esmeraldas.

Assim, estando o Leão completamente descansado e sentindo-se inteiramente bem de novo, recomeçaram a jornada, apreciando o passeio pela relva macia e fresca. Não demorou muito tempo até que eles atingiram a estrada de tijolos amarelos e retomaram a direção da Cidade das Esmeraldas, onde habitava o Grande Oz.

A estrada estava limpa e bem pavimentada e os campos ao redor eram limpos, e os viajantes ficaram felizes por terem deixado a floresta para trás e com ela os perigos que tinham enfrentado em sua sombra lúgubre. Novamente podiam ver cercas construídas ao longo da estrada; porém estas eram pintadas de verde, e quando eles chegaram a uma casinha, na qual evidentemente morava um fazendeiro, ela também estava pintada de verde.

Eles passaram por diversas destas casas durante a tarde, e algumas vezes as pessoas chegavam até às portas e olhavam para eles como se quisessem fazer perguntas; mas ninguém chegou perto nem falou, por causa do grande Leão, do qual tinham muito medo. As pessoas estavam todas vestidas em roupas de uma linda cor de esmeralda e usavam chapéus pontudos iguais aos dos Munchkins.

– Esta deve ser a Terra de Oz – disse Dorothy –, e certamente estamos chegando perto da Cidade das Esmeraldas.

– Sim – respondeu o Espantalho –, tudo é verde por aqui, enquanto no país dos Munchkins o azul era a cor favorita. Mas as pessoas não parecem ser tão amigáveis como os Munchkins, tenho medo de não ser possível encontrarmos um lugar para passar a noite.

– Eu gostaria de comer alguma outra coisa, além de frutas – disse a menina. – E tenho certeza de que Totó está quase morrendo de fome. Vamos parar na próxima casa e falar com as pessoas.

Assim, quando eles viram uma casa de fazenda de bom tamanho, Dorothy dirigiu-se corajosamente até a porta e bateu. Uma mulher abriu somente o bastante para poder olhar para fora e disse:

– O que você quer, criança, e o que faz aquele grande leão junto com você?

– Nós queremos passar a noite com vocês, se nos permitirem – respondeu Dorothy. – E o Leão é meu amigo e companheiro de viagem e não lhe fará mal algum.

– Ele é domesticado? – perguntou a mulher, abrindo a porta um pouco mais.

– Oh, sim – disse a menina. – E é também um grande covarde; garanto que vai ter mais medo de você que você dele.

– Bem – disse a mulher, depois de pensar um pouco e dar outra olhadela para o Leão. – Se é assim, vocês podem entrar e eu lhes darei jantar e um lugar para dormir.

Todos eles entraram na casa, onde havia, além da mulher, duas crianças e um homem. O homem estava com a perna ferida e ficou deitado no sofá, que ficava em um canto. Eles pareciam muito assombrados ao verem um grupo tão estranho. Enquanto a mulher se ocupava, pondo a mesa, o homem perguntou:

– Para onde vão vocês todos?

– Para a Cidade das Esmeraldas – disse Dorothy – a fim de ver o Grande Oz.

– Verdade? – exclamou o homem. – E vocês têm certeza de que Oz vai querer ver vocês?

– Por que não? – ela replicou.

– Ora, dizem que ele nunca deixa ninguém chegar à sua presença. Eu já estive na Cidade das Esmeraldas muitas vezes e é um lugar lindo e maravilhoso, mas nunca me permitiram ver o Grande Oz, nem eu conheço qualquer pessoa viva que o tenha visto.

– Ele nunca sai? – perguntou o Espantalho.

– Nunca. Ele fica sentado, dia após dia, na grande

Sala do Trono em seu palácio, e mesmo aqueles que o servem não podem vê-lo face a face.

– E como ele é? – perguntou a menina.

– Isso é difícil de dizer – respondeu o homem, pensativamente. – Vocês veem, Oz é um grande Mágico e pode tomar qualquer forma que desejar. Alguns dizem que ele parece uma grande ave, outros dizem que ele parece com um elefante, enquanto outros falam que ele parece um gato. Para outros ainda, ele aparece como uma linda fada ou como um gnomo ou em qualquer outra forma que lhe agrade. Mas quem é o verdadeiro Oz, quando ele está em sua forma original, nenhuma pessoa viva pode dizer.

– Isto é muito estranho – disse Dorothy. – Mas nós temos de tentar vê-lo de alguma maneira, ou teremos feito a viagem por nada.

– Por que vocês querem ver o terrível Oz? – perguntou o homem.

– Eu queria que ele me desse um cérebro – disse o Espantalho, ansiosamente.

– Oh, Oz pode fazer isso facilmente – declarou o homem. – Ele tem mais cérebros do que precisa.

– E eu quero que ele me dê um coração – disse o Lenhador de Lata.

– Isso não vai ser problema para ele – continuou o homem –, pois Oz tem uma grande coleção de corações, de todos os formatos e tamanhos.

– E eu quero que ele me dê coragem – disse o Leão Covarde.

– Oz guarda uma grande panela de coragem em sua Sala do Trono – disse o homem. – Ele a mantém coberta com uma placa de ouro, para que a coragem não se derrame. Ele terá prazer em lhe dar um pouco.

– E eu quero que ele me mande de volta para o Kansas – disse Dorothy.

– Onde fica o Kansas? – perguntou o homem, surpreendido.

– Eu não sei – respondeu Dorothy, tristemente –, mas é meu lar e tenho certeza de que fica em algum lugar.

– Muito provavelmente. Bem, Oz é capaz de fazer qualquer coisa; assim, eu suponho que ele pode encontrar o Kansas para você. Mas primeiro, vocês terão de vê-lo, e essa tarefa é muito difícil: o Grande Mágico não gosta de ver ninguém e, em geral, sua vontade se realiza. Mas e você, o que deseja? – continuou ele, falando com Totó.

Totó balançou o rabinho, porque, por estranho que pareça, ele não sabia falar.

A mulher então disse que o jantar estava servido e eles se reuniram ao redor da mesa. Dorothy comeu um pouco de mingau delicioso e um prato de ovos mexidos e uma travessa de delicioso pão branco, e apreciou muito sua refeição. O Leão comeu um pouco do mingau, porém não gostou, dizendo que era feito de aveia, e aveia era comida para cavalos, não para leões. O Espantalho e o Lenhador de Lata não comeram nada em absoluto. Totó comeu um pouco de cada coisa e ficou contente por comer novamente um bom jantar.

Depois, a mulher deu uma cama para Dorothy dormir e Totó deitou-se ao lado dela, enquanto o Leão guardava a porta do quarto para que ela não fosse perturbada. O Espantalho e o Lenhador de Lata ficaram parados em um canto e permaneceram quietos toda a noite, porque, naturalmente, eles não conseguiam dormir.

Na manhã seguinte, assim que o sol saiu, eles recomeçaram seu caminho e logo avistaram um lindo brilho esverdeado no céu bem à sua frente.

– Deve ser a Cidade das Esmeraldas – disse Dorothy.

À medida que avançavam, o brilho verde foi ficando cada vez mais forte e pareceu a eles que finalmente estavam chegando ao fim da viagem. Entretanto, a tarde chegou antes que eles atingissem a grande muralha que cercava a Cidade. Era alta e larga, de uma brilhante cor verde.

Em frente deles, bem no fim da estrada de tijolos amarelos, havia um grande portão, todo engastado de esmeraldas que luziam de tal maneira ao sol que mesmo os olhos pintados do Espantalho ficaram ofuscados por seu brilho.

Havia uma campainha ao lado do portão e Dorothy apertou-a e escutou o som de um tilintar como se estivessem batendo em um sininho de prata do lado de dentro. Então o grande portão se abriu lentamente e eles entraram em uma grande sala abobadada, cujas paredes brilhavam com um sem-número de esmeraldas.

Diante deles, estava de pé um homenzinho aproximadamente do mesmo tamanho dos Munchkins. Ele estava vestido inteiramente de verde, da cabeça aos pés, e até mesmo sua pele tinha um tom esverdeado. A seu lado havia uma grande caixa verde.

Quando viu Dorothy e seus companheiros, o homem perguntou:

– O que desejam vocês na Cidade das Esmeraldas?

– Viemos aqui para visitar o Grande Oz – disse Dorothy.

O homem ficou tão surpreso com esta resposta, que se sentou para pensar um pouco.

– Já faz tantos anos desde que alguém me pediu para se avistar com Oz – disse ele, sacudindo a cabeça em perplexidade. – Ele é terrível e poderoso, e se vocês vieram por algum motivo fútil ou tolo perturbar as sábias reflexões do Grande Mágico, ele pode zangar-se e destruí-los em um instante.

– Mas não é por um motivo fútil, nem por uma tolice – replicou o Espantalho. – É importante. E nos disseram que Oz é um Mágico bom.

– Sim, ele é – disse o homem verde. – E governa a Cidade das Esmeraldas bem e sabiamente. Mas para aqueles que não são honestos ou que se aproximam dele por pura curiosidade, ele é terrível, e até hoje muito poucos ousaram pedir para ver sua face. Eu sou o Guardião dos Portões, e uma vez que vocês pedem para ver o Grande Oz, devo levá-los ao palácio. Mas em primeiro lugar, vocês têm que pôr os óculos.

– Por quê? – quis saber Dorothy.

– Porque se vocês não usarem óculos, o brilho e a glória da Cidade das Esmeraldas irá cegá-los. Mesmo aqueles que moram aqui usam óculos noite e dia. Os óculos estão trancados, porque assim ordenou Oz, quando a cidade foi construída, e eu tenho a única chave que os destranca.

Ele abriu a grande caixa e Dorothy viu que estava cheia de óculos de todos os formatos e tamanhos. Todos tinham lentes verdes. O Guardião dos Portões encontrou um par que servia perfeitamente em Dorothy e colocou-o nos olhos dela. Havia duas faixas douradas presas a eles, que passavam pela parte de trás de sua cabeça, onde eram fechadas por uma pequena chave que estava pendurada em uma corrente que o Guardião dos Portões usava ao redor do pescoço. Depois de colocados, Dorothy não podia tirá-los mesmo que quisesse, mas é claro que ela não queria ficar cega pelo fulgor da Cidade das Esmeraldas e assim ela não disse nada.

Então, o homem verde ajustou óculos para o Espantalho, para o Lenhador de Lata, para o Leão e até mesmo para Totó. E todos os óculos foram trancados firmemente com a chave.

Finalmente o Guardião dos Portões colocou seus próprios óculos e disse-lhes que estava pronto para mostrar-lhes o palácio. Pegando uma grande chave de ouro de um gancho preso na parede, abriu outro portão e todos o seguiram, ingressando nas ruas da Cidade das Esmeraldas.

Capítulo 11

Mesmo com os olhos protegidos pelos óculos verdes, Dorothy e seus amigos ficaram inicialmente ofuscados pelo brilho da Cidade maravilhosa. As ruas eram ladeadas por lindas casas, todas de mármore verde e recobertas de esmeraldas reluzentes. Eles caminhavam sobre um pavimento do mesmo mármore verde; onde os blocos de mármore se encontravam, havia filas de esmeraldas, engastadas umas junto das outras, que refulgiam ao brilho do sol. Os vidros das janelas eram de cristal verde; até mesmo o céu da cidade tinha um tom esverdeado e os raios do sol eram verdes.

Havia muitas pessoas, homens, mulheres e crianças, caminhando para cá e para lá, e todos estavam vestidos de verde e tinham peles esverdeadas. Eles olhavam para Dorothy e seu estranho grupo com olhos assombrados e as crianças corriam e se escondiam por trás de suas mães quando viam o Leão; mas ninguém falou com eles. Havia muitas lojas abertas e Dorothy pôde ver que todos os artigos expostos eram de cor verde. Havia doces verdes e pipoca verde à venda, bem como sapatos verdes, chapéus verdes e roupas verdes de todos os tipos. Em um lugar um homem estava vendendo limonada verde, e quando as crianças compravam, Dorothy viu que pagavam com moedinhas verdes.

Parecia não haver cavalos nem animais de qualquer tipo; os homens carregavam coisas para um lado e para outro dentro de carrinhos verdes que eles mesmos empurravam. Todo mundo parecia contente, alegre e próspero.

O Guardião dos Portões os conduziu através das ruas até que chegaram a um grande edifício, exatamente no meio da cidade, que era o Palácio de Oz, o Grande Mágico. Havia um soldado diante da porta, vestindo um uniforme verde e usando uma longa barba também verde.

– Aqui estão alguns estrangeiros – disse o Guardião dos Portões ao soldado – e eles querem ver o Grande Oz.

– Entrem – respondeu o soldado –, e eu levarei sua mensagem para ele.

Eles passaram através dos portões do palácio e foram conduzidos a um grande salão com tapete verde e lindos móveis encastoados com esmeraldas. O soldado fez com que todos limpassem os pés em um capacho verde antes de ingressarem nesse salão; quando tinham sentado, ele falou, polidamente:

– Por favor, fiquem à vontade enquanto eu vou até a porta da Sala do Trono e digo a Oz que vocês estão aqui.

Eles tiveram de esperar por um longo tempo até que o soldado retornou.

Quando, finalmente, ele apareceu, Dorothy perguntou:

– Você viu Oz?

– Oh, não – respondeu o soldado. – Eu nunca o vi. Mas eu falei-lhe por trás de sua cortina e dei sua mensagem. Ele disse que lhes concederia uma audiência, se assim vocês desejam; mas cada um de vocês deverá ir à sua presença sozinho e ele só vai admitir a entrada de um por dia. Portanto, já que vocês terão de permanecer no Palácio por diversos dias, eu lhes mostrarei quartos em que poderão descansar confortavelmente de sua jornada.

– Muito obrigada – replicou a menina. – Oz é muito gentil.

O soldado soprou em um grande apito e imediatamente uma jovem vestida em uma linda roupa de seda verde entrou no salão. Ela tinha lindos cabelos verdes e olhos também verdes e fez uma reverência diante de Dorothy, enquanto dizia:

– Siga-me e eu lhe mostrarei seu quarto.

Dorothy deu adeus a todos os seus amigos, exceto a Totó; e pegando o cãozinho em seus braços, seguiu a moça verde através de sete passagens e três andares de escadas, até que chegaram a um quarto que ficava na parte da frente do Palácio. Era o mais lindo quartinho do mundo, tinha uma cama macia e confortável com lençóis de seda verde e uma colcha de veludo verde. Havia uma pequena fonte no meio do quarto que lançava um jato de perfume verde no ar; o líquido caía em uma bela bacia de mármore esculpida com perfeição, além de belas flores verdes junto às janelas e uma prateleira com uma fila de livrinhos verdes. Quando Dorothy teve tempo para abrir estes livros, descobriu que estavam cheios de figurinhas verdes engraçadas que a faziam rir sem parar, de tão divertidas que eram.

Em um guarda-roupa havia muitos vestidos verdes, feitos de seda, cetim e veludo. Todos eles serviam exatamente em Dorothy.

– Queira sentir-se completamente em casa – disse a moça verde –, e se quiser alguma coisa, toque a campainha. Oz vai mandar chamá-la amanhã de manhã.

Ela deixou Dorothy sozinha e voltou para atender os outros. Conduziu cada um deles a um quarto e todos se acharam alojados em uma parte muito agradável do Palácio. É claro que esta polidez foi desperdiçada com o Espantalho, porque quando ele se encontrou sozinho em seu quarto, ficou parado estupidamente em um único lugar, bem pertinho da porta, onde esperou até de manhã. Ele não ia descansar caso se deitasse e nem ao menos conseguia fechar os olhos; permaneceu a noite inteira olhando para uma aranhazinha que estava tecendo sua teia em um canto do quarto, sem nem se dar conta de que aquele era um dos quartos mais maravilhosos do mundo. O Lenhador de Lata deitou-se em sua cama devido à força do hábito, porque se lembrava do tempo em que era feito de carne; mas uma vez que não conseguia dormir, ele passou a noite movendo suas juntas para cima e para baixo a fim de garantir que continuavam em bom funcionamento. O Leão teria preferido uma cama de folhas secas na floresta e também não gostou de ficar trancado em um quarto; mas era sensato demais para deixar que isso o preocupasse, e assim pulou para cima da cama e enroscou-se como um gato, ronronando até que adormeceu em um minuto.

Na manhã seguinte, depois da primeira refeição, a jovem foi buscar Dorothy e vestiu-a com um dos vestidos mais bonitos – feito de cetim e brocado verdes. Dorothy colocou também um avental de seda verde e amarrou um grande laço verde ao redor do pescoço de Totó. Assim preparados, partiram para a Sala do Trono do Grande Oz.

Primeiro chegaram a um grande salão em que haviam muitas damas e cavalheiros da corte, todos vestidos em ricas indumentárias. Estas pessoas não tinham nada a fazer senão conversarem umas com as outras, mas a cada manhã vinham esperar do lado de fora da Sala do Trono, embora nunca lhes fosse permitido avistar-se com Oz. Quando Dorothy entrou, todos olharam para ela curiosamente e um deles murmurou:

– Você vai realmente contemplar a face de Oz, o Terrível?

– É claro – respondeu a menina –, se ele quiser me ver.

– Oh, sim, ele vai vê-la – disse o soldado, que havia levado sua mensagem para o Mágico. – Muito embora ele não goste que as pessoas peçam para vê-lo. De fato, ele ficou zangado a princípio e disse que eu deveria mandar vocês de volta para o lugar de onde tinham vindo. Mas então ele me perguntou qual era o aspecto de vocês, e quando eu mencionei seus sapatos prateados, ele ficou muito interessado. Finalmente eu lhe contei sobre a marca que existe em sua testa, e então ele decidiu admiti-la à sua presença.

Nesse momento, soou um sino e a moça verde disse a Dorothy:

– Foi dado o sinal. Você deve entrar na Sala do Trono sozinha.

Ela abriu uma portinha e Dorothy caminhou corajosamente para dentro e encontrou-se em um lugar maravilhoso. Era um salão redondo e grande com um alto teto abobadado; as paredes, o teto e o assoalho estavam cobertos de enormes esmeraldas engastadas muito perto umas das outras. No centro do forro, havia uma grande luz, tão brilhante como o sol, que fazia as esmeraldas cintilarem de forma magnífica.

Mas o que mais interessou Dorothy foi o grande trono de mármore verde colocado no centro do salão. Tinha o formato de uma cadeira e cintilava de gemas, como tudo o mais. No centro dela havia uma grande cabeça, sem um corpo para suportá-la e sem braços ou pernas. A cabeça não tinha cabelo, porém ostentava olhos, nariz e boca e era muito maior que a cabeça do maior dos gigantes.

Enquanto Dorothy olhava para ela maravilhada e amedrontada, os olhos giraram lentamente em sua direção e a contemplaram direta e firmemente. Então a boca moveu-se e Dorothy escutou uma voz que dizia:

– Eu sou Oz, o Grande e Terrível. Quem é você e por que me busca?

Não era uma voz tão pavorosa como ela tinha esperado que saísse de uma cabeça tão grande; assim, ela reuniu coragem e respondeu:

– Eu sou Dorothy, a Pequena e Humilde. Vim a você em busca de auxílio.

Os olhos a contemplaram pensativamente durante um minuto inteiro. Então, disse a voz:

– Onde você conseguiu esses sapatos prateados?

– Eu consegui os sapatos com a Bruxa Malvada do Leste, quando minha casa caiu em cima dela e a matou – replicou ela.

– Onde você conseguiu essa marca em sua testa? – continuou a voz.

– Está no lugar em que a Bruxa Boa do Norte me beijou, quando ela me deu adeus e me mandou procurá-lo – disse a menina.

Novamente os olhos a examinaram cuidadosamente e perceberam que ela estava dizendo a verdade. Então Oz perguntou:

– O que você deseja que eu faça?

– Quero que me mande de volta para o Kansas, onde estão minha Tia Emily e meu Tio Henry – respondeu ela muito séria. – Eu não gosto de seu país, mesmo que seja tão bonito. E tenho certeza de que Tia Emily deve estar terrivelmente preocupada com minha longa ausência.

Os olhos piscaram três vezes e então se voltaram para o teto e depois para o assoalho e finalmente giraram de forma tão estranha que pareciam ver todas as partes da peça. Finalmente, olharam de novo para Dorothy.

– Por que eu deveria fazer isto por você? – indagou Oz.

– Porque você é forte e eu sou fraca; porque você é um Grande Mágico e eu sou apenas uma menininha inofensiva.

– Porém você foi forte o bastante para matar a Bruxa Malvada do Leste – disse Oz.

– Isso apenas aconteceu – retornou Dorothy, com simplicidade. – Eu não tive a intenção.

– Bem – disse a Cabeça. – Vou lhe dar minha resposta. Você não tem direito de esperar que eu a envie de volta para o Kansas a não ser que faça alguma coisa em troca para mim. Neste país, todos devem pagar por tudo o que recebem. Se você quiser que eu use meus poderes mágicos para enviá-la de volta para casa, primeiro deve fazer uma coisa por mim. Ajude-me e eu a ajudarei.

– O que devo fazer? – perguntou a menina.

– Matar a Bruxa Malvada do Oeste – respondeu Oz.

– Mas eu não posso! – exclamou Dorothy, muito surpresa.

– Você matou a Bruxa do Leste e você usa sapatos prateados que trazem consigo um poderoso encanto. Agora só existe uma Bruxa Malvada em toda esta terra, e assim que você me disser que ela está morta, eu a enviarei de volta para o Kansas. Mas não antes.

A meninazinha começou a chorar, de tão desapontada que ficou. Os olhos piscaram novamente e a contemplaram ansiosamente, como se o Grande Oz sentisse que, se ela realmente quisesse, poderia ajudá-lo.

– Eu nunca matei nada de propósito – ela soluçou. – E mesmo que eu quisesse, como eu poderia matar a Bruxa Malvada? Se você, que é o Grande e Terrível, não pode matá-la sozinho, como espera que eu consiga?

– Eu não sei – disse a Cabeça. – Mas esta é a minha resposta, e até que a Bruxa Malvada morra, você não verá seu tio e sua tia de novo. Lembre-se de que a Bruxa é malvada – tremendamente malvada – e merece ser morta. Agora vá e não peça para me ver de novo até que tenha cumprido sua tarefa.

Triste, Dorothy deixou a Sala do Trono e voltou para onde o Leão e o Espantalho e o Lenhador de Lata a esperavam para saber o que Oz lhe tinha dito.

– Eu não tenho mais esperança – disse ela, tristemente. – Oz não vai me mandar para casa a não ser que eu mate a Bruxa Malvada do Oeste. Eu jamais poderei fazer isso.

Seus amigos lamentaram muito, mas não podiam fazer nada para ajudá-la; assim, ela retornou para seu quarto, deitou-se na cama e chorou até dormir.

Na manhã seguinte, o soldado de barba verde veio até o Espantalho e disse:

– Venha comigo, pois Oz mandou chamá-lo.

O Espantalho o seguiu e foi admitido na grande Sala do Trono, onde viu, sentada no trono de esmeralda, uma senhora de grande beleza. Ela estava vestida de gaze de seda verde e usava sobre seus ondulados cabelos verdes uma coroa de joias. Asas cresciam de seus ombros, de uma cor extremamente bela e tão leves que flutuavam quando a menor lufada de ar as tocava.

Quando o Espantalho fez uma vênia, tão bem quanto seu recheio de palha permitia, perante a linda criatura, ela olhou docemente para ele e disse:

– Eu sou Oz, o Grande e Terrível. Quem é você e por que me busca?

O Espantalho, que esperara encontrar a grande Cabeça de que Dorothy lhe havia falado, ficou extremamente espantado; porém respondeu bravamente:

– Eu sou apenas um Espantalho, cheio de palha, portanto não tenho cérebro. Vim à sua presença rogando que coloque um cérebro em minha cabeça em vez de palha, para que eu possa me tornar um homem como qualquer outro em seus domínios.

– E por que eu deveria fazer isso por você? – indagou a senhora.

– Porque você é sábia e poderosa e ninguém mais pode me ajudar – respondeu o Espantalho.

– Eu nunca concedo meus favores sem algum retorno – disse Oz –, mas posso fazer-lhe uma promessa. Se você matar a Bruxa Malvada do Oeste, eu lhe concederei um grande cérebro, de fato um cérebro tão bom que você se tornará o homem mais sábio em toda a Terra de Oz.

– Eu pensei que você tinha pedido a Dorothy para matar a Bruxa – disse o Espantalho, surpreendido.

– E pedi. Eu não me importo com quem a mate. Mas até que ela esteja morta, eu não vou satisfazer seu desejo. Agora vá e não me procure de novo até que tenha merecido ganhar o cérebro que tanto deseja.

O Espantalho voltou lamentando para seus amigos e contou-lhes o que Oz havia dito; e Dorothy ficou muito surpresa de saber que o Grande Mágico não era uma cabeça, como ela tinha visto, porém uma linda dama.

– Seja como for – disse o Espantalho –, ela precisa tanto de um coração quanto o Lenhador de Lata.

Na manhã seguinte, o soldado de barba verde veio até o Lenhador de Lata e disse:

– Oz mandou chamá-lo. Siga-me.

O Lenhador de Lata o seguiu e chegou à grande Sala do Trono. Ele não sabia se ia encontrar uma linda senhora ou se Oz seria uma cabeça, mas esperava que fosse a bela dama. Ele disse para si mesmo:

– Se for a Cabeça, tenho certeza de que não recebo um coração, porque uma cabeça também não tem coração e assim não pode ter pena de mim. Porém, se for a bela Dama, eu vou pedir um coração com muito empenho, porque todas as damas têm um bom coração.

O Lenhador entrou na grande Sala do Trono, não viu nem Cabeça nem Dama, porque Oz havia assumido o aspecto de uma Besta terrível. Tinha quase o tamanho de um elefante e o trono verde não parecia forte o bastante para suportar-lhe o peso. A Besta tinha uma cabeça que parecia de rinoceronte, só que possuía cinco olhos na cara. Cinco longos braços saíam de seu tronco e também cinco pernas longas e finas. Um pelo lanoso e espesso recobria todas as partes de seu corpo e dificilmente se poderia imaginar um monstro de aspecto mais pavoroso. A sorte foi que naquele momento o Lenhador de Lata não tinha coração, porque se tivesse estaria batendo muito depressa, aterrorizado.Uma vez que era feito somente de lata, o Lenhador não teve medo algum, embora tivesse ficado muito desapontado.

– Eu sou Oz, o Grande e Terrível – falou a Besta, com uma voz que parecia um rugido. – Quem é você e por que me busca?

– Eu sou um Lenhador feito de lata. Por isso, não tenho coração e não posso amar. Eu lhe rogo que me dê um coração para que eu possa ser como os outros homens.

– E por que eu deveria fazer isso? – demandou a Besta.

– Porque eu estou pedindo e porque somente você pode conceder o meu pedido – respondeu o Lenhador.

Oz deu um rosnado baixo, mas disse com maus modos:

– Se você realmente deseja um coração, você deve fazer por merecê-lo.

– Como? – perguntou o Lenhador.

– Ajude Dorothy a matar a Bruxa Malvada do Oeste – replicou a Besta. – Quando a Bruxa estiver morta, então venha a mim e eu lhe darei o maior, mais gentil e mais amável coração em toda a Terra de Oz.

Desalentado, o Lenhador de Lata retornou para seus amigos a fim de contar-lhes sobre a terrível Besta que tinha visto. Todos estavam extremamente espantados com as muitas formas que o Grande Mágico podia assumir, e o Leão disse:

– Se ele for uma fera quando eu for vê-lo, vou rugir o mais alto que puder, assim o assustarei e obrigarei a me dar o que eu quero. Se for a linda senhora, vou ameaçar pular em cima dela, forçando-a a fazer o que eu peço. E se for a grande Cabeça, então dependerá de minha misericórdia, porque vou rolar essa cabeça pelo assoalho da sala até que me prometa conceder o que nós desejamos. Assim, alegrem-se, meus amigos, porque tudo vai dar certo.

Na manhã seguinte, o soldado de barba verde conduziu o Leão à grande Sala do Trono e intimou-o a ingressar na presença de Oz.

Imediatamente o Leão passou pela porta e, olhando ao redor, viu, para sua surpresa, que diante do trono se achava uma bola de fogo tão feroz e luminosa que ele mal conseguia olhar para ela. Seu primeiro pensamento foi o de que Oz tinha pegado fogo por acidente e estava queimando; porém, quando tentou chegar mais perto, o calor era tão intenso que chamuscou seus bigodes e ele rastejou tremulamente para um lugar um pouco mais perto da porta.

Nisso, uma voz tranquila e suave surgiu vindo da Bola de Fogo, e estas foram as palavras que ela emitiu:

– Eu sou Oz, o Grande e Terrível. Quem é você e por que me busca?

E o Leão respondeu:

– Eu sou um Leão Covarde, que tem medo de tudo. Eu vim suplicar-lhe que me dê coragem, para que eu possa me tornar realmente o Rei dos Animais, como os homens costumam me chamar.

– E por que eu deveria lhe dar coragem? – inquiriu Oz.

– Porque, de todos os mágicos, você é o maior e o único que tem poder para conceder o meu pedido – respondeu o Leão.

A Bola de Fogo queimou ferozmente durante algum tempo e a voz disse:

– Traga-me uma prova de que a Bruxa Malvada está morta e nesse momento eu lhe darei coragem. Mas enquanto a Bruxa viver, você deve permanecer covarde.

O Leão enfureceu-se com esta declaração, mas não pôde dizer nada em troca. Enquanto permanecia silenciosamente olhando para a Bola de Fogo, esta tornou-se tão intensamente quente que ele deu-lhe as costas e fugiu da sala. Ficou feliz em encontrar seus amigos esperando por ele e contou-lhes sobre a terrível entrevista com o Mágico.

– O que vamos fazer agora? – perguntou Dorothy, com tristeza.

– Há somente uma coisa a fazer – respondeu o Leão –, e essa é ir até a Terra dos Winkies, procurar a Bruxa Malvada e destruí-la.

– Mas suponha que não consigamos? – disse a menina.

– Então eu nunca terei coragem – declarou o Leão.

– E eu nunca terei um cérebro – acrescentou o Espantalho.

– E eu nunca terei um coração – falou o Lenhador de Lata.

– E eu nunca mais vou ver Tia Emily e Tio Henry – disse Dorothy, começando a chorar.

– Tenha cuidado! – gritou a moça verde. – As lágrimas podem cair em seu vestido de seda verde e manchá-lo.

Dorothy secou seus olhos e disse:

– Eu suponho que tenhamos de experimentar. Mas eu tenho certeza de que não quero matar ninguém, nem mesmo para poder ver Tia Emily de novo.

– Eu irei com você; mas sou covarde demais para matar a Bruxa – disse o Leão.

– Eu vou também – declarou o Espantalho. – Mas não vou poder ajudar muito. Eu não passo de um bobo.

– Eu não tenho coragem para fazer mal nem mesmo a uma Bruxa – observou o Lenhador de Lata. – Mas se vocês forem, eu certamente os acompanharei.

Decidiram iniciar sua jornada na manhã seguinte, e o Lenhador afiou seu machado em uma pedra verde de amolar e azeitou todas as suas juntas com cuidado. O Espantalho estufou-se outra vez com palha nova e Dorothy passou tinta nova em seus olhos para que ele pudesse ver melhor. A moça verde, que era muito boa para eles, encheu a cesta de Dorothy com coisas boas de comer e atou um pequeno guizo ao redor do pescoço de Totó com uma fita verde.

Eles foram para a cama bem cedo e dormiram profundamente até o nascer do sol, quando foram acordados pelo canto de um galo verde que morava no quintal do palácio e pelo cacarejar de uma galinha verde que tinha acabado de pôr um ovo também verde.

Capítulo 12

O soldado de barba verde os conduziu pelas ruas da Cidade das Esmeraldas até que chegaram na sala em que vivia o Guardião dos Portões. Este abriu seus óculos e colocou-os de volta na grande caixa. Depois, polidamente, abriu o portão para nossos amigos.

– Qual é a estrada que leva até a Bruxa Malvada do Oeste? – perguntou Dorothy.

– Não há estrada – respondeu o Guardião dos Portões. – Ninguém jamais quis usar esse caminho.

– Mas como é que nós vamos encontrá-la? – inquiriu a menina.

– Isso vai ser fácil – replicou o homem. – Assim que ela souber que vocês estão na terra dos Winkies, ela mesma vai encontrá-los e torná-los seus escravos.

– Talvez não – disse o Espantalho –, porque nós pretendemos destruí-la.

– Oh, isso é diferente – disse o Guardião dos Portões. – Ninguém tentou isso antes, assim, naturalmente, eu imaginei que ela ia escravizá-los, como fez com todos os outros. Mas tomem cuidado, porque ela é malvada e feroz e pode impedir que vocês a destruam. Caminhem sempre na direção do Oeste, onde o sol se põe, e não podem deixar de encontrá-la.

Eles agradeceram, deram adeus e voltaram-se para o Oeste, caminhando sobre os campos de capim macio, pontilhados aqui e ali por margaridas e botões-de-ouro. Dorothy ainda usava o bonito vestido de seda que tinha colocado no palácio, mas agora, para sua surpresa, descobriu que não era mais verde, mas inteiramente branco. A fita ao redor do pescoço de Totó também tinha perdido a cor verde e era branca como o vestido de Dorothy.

Em seguida deixaram a Cidade das Esmeraldas bem para trás. À medida que avançavam, o solo ia se tornando cada vez mais difícil para caminhar, porque não havia casas nem fazendas nesta região do Oeste e o solo não era trabalhado.

De tarde, o sol queimava seus rostos, porque não havia árvores que lhes oferecessem sombra; assim, antes que caísse a noite, Dorothy e Totó e o Leão estavam cansados, deitaram-se sobre a relva e adormeceram, enquanto o Lenhador e o Espantalho ficaram de guarda.

A Bruxa Malvada do Oeste só tinha um olho, mas esse era poderoso como um telescópio e podia ver por toda a parte. Assim, enquanto estava sentada à porta de seu castelo, aconteceu que ela olhasse ao redor e visse Dorothy adormecida, com seus amigos ao redor. Eles estavam ainda a uma boa distância, mas a Bruxa Malvada se enfureceu por encontrá-los em seu país, e assoprou em um apito de prata que levava pendurado ao pescoço.

Imediatamente uma alcateia de grandes lobos veio correndo para ela de todas a direções. Eles tinham pernas longas, olhos ferozes e dentes afiados.

– Vão até aquelas pessoas – disse a Bruxa – e façam-nas em pedaços.

– Você não vai transformá-las em escravos? – perguntou o líder dos lobos.

– Não – respondeu ela. – Um é de lata, um é feito de palha; uma é apenas uma menina e o outro é um leão. Nenhum deles serve para trabalhar, por isso vocês podem rasgá-los em pedacinhos.

– Muito bem – disse o Lobo. E disparou a toda a velocidade, seguido pelos outros.

A sorte é que o Lenhador e o Espantalho estavam bem acordados e escutaram os lobos enquanto vinham chegando.

– Esta batalha é minha – disse o Lenhador. – Fique atrás de mim, porque eu vou enfrentá-los à medida que chegarem.

Agarrou seu machado, que tinha deixado muito afiado, e no momento em que o líder dos lobos chegou, o Lenhador de Lata girou seu braço e cortou fora a cabeça dele, que morreu imediatamente. Assim que conseguiu levantar novamente o machado, já tinha chegado outro lobo, e também este caiu sob o fio agudo da arma da Lenhador de Lata. Havia quarenta lobos e quarenta vezes um lobo foi morto, de tal modo que, no fim, todos estavam empilhados e mortos diante do Lenhador.

Só então ele baixou o machado e sentou-se ao lado do Espantalho, que disse:

– Foi um bom combate, amigo.

Eles esperaram até que Dorothy acordasse na manhã seguinte. A garotinha ficou muito assustada quando viu a grande pilha de lobos peludos, mas o Lenhador de Lata lhe contou tudo. Ela agradeceu-lhe por tê-la salvo e sentou-se para o café da manhã, depois do que eles reiniciaram a jornada.

Aconteceu que nesta manhã novamente a Bruxa Malvada chegou até a porta de seu castelo e olhou com seu único olho, que podia ver bem distante. Ela viu que todos os seus lobos estavam mortos e que os estranhos ainda estavam viajando pelo seu país. Isto a deixou ainda mais zangada do que antes e ela assoprou seu apito de prata duas vezes.

Imediatamente, um grande bando de corvos selvagens veio voando em sua direção e escureceu o céu de tantos que eram. A Bruxa Malvada disse ao Rei dos Corvos:

— Voem imediatamente até os forasteiros, arranquem seus olhos e façam-nos em pedaços!

Um bando enorme de corvos selvagens voou em direção a Dorothy e seus companheiros. Quando a meninazinha viu que chegavam, ficou com muito medo. Mas disse o Espantalho:

— Esta batalha é minha; deite-se a meu lado, que ninguém lhe fará mal.

Todos se deitaram no chão, menos o Espantalho, que ficou em pé com os braços esticados. Quando os corvos o avistaram, ficaram assustados, porque este tipo de pássaro sempre se assusta com espantalhos, e não ousaram chegar muito perto. O Rei dos Corvos disse:

— É somente um homem estufado de palha. Vou arrancar-lhe os olhos.

O Rei dos Corvos voou até o Espantalho, que o agarrou pela cabeça e torceu-lhe o pescoço, até que morreu. E então outro corvo voou até ele e o Espantalho torceu seu pescoço também. Havia quarenta corvos e quarenta vezes o Espantalho torceu um pescoço, até que finalmente todos tivessem caído mortos a seu lado. Então ele disse a seus companheiros que se erguessem, e novamente reiniciaram sua jornada.

Quando a Bruxa Malvada olhou de novo e viu que todos os seus corvos estavam caídos em um montão, ela ficou terrivelmente encolerizada e assoprou três vezes em seu apito de prata.

Imediatamente, se escutou um grande zumbido pelo ar e um enxame de abelhas pretas veio voando em sua direção.

– Voem até os forasteiros e matem-nos a ferroadas! – comandou a Bruxa. E as abelhas se viraram e voaram rapidamente, até que chegaram ao lugar em que Dorothy e seus amigos estavam caminhando. Mas o Lenhador os tinha visto chegando e o Espantalho já havia decidido o que fazer.

– Tire fora minha palha e espalhe sobre a menininha, o cachorro e o leão – disse ele ao Lenhador. – Assim as abelhas não podem picá-los. – Foi exatamente o que o Lenhador fez, e como Dorothy estava deitada pertinho do Leão e segurava Totó em seus braços, a palha cobriu-os a todos completamente.

As abelhas chegaram e só encontraram o Lenhador para ferroar, voaram até ele e quebraram todos os seus ferrões contra a lata, sem conseguirem machucar o Lenhador nem um pouquinho. E já que as abelhas não podem viver quando perdem os ferrões, esse foi o fim das abelhas pretas e elas ficaram espalhadas pelo chão ao redor do Lenhador, como montinhos de carvão.

Dorothy e o Leão se levantaram e a menina ajudou o Lenhador de Lata a colocar a palha de volta no corpo do Espantalho, até que ele ficou tão bom como novo. E recomeçaram sua viagem mais uma vez.

A Bruxa Malvada ficou tão enraivecida quando viu suas abelhas pretas jazendo em montinhos como se fossem carvão, que bateu os pés no chão, arrancou o cabelo e rangeu os dentes. E então ela chamou uma dúzia de seus escravos, que eram os Winkies, deu-lhes lanças pontudas, dizendo-lhes que fossem até os estrangeiros e os destruíssem.

Os Winkies não eram gente corajosa, mas tinham de fazer o que lhes mandavam; assim eles marcharam até se aproximarem de Dorothy. O Leão soltou um grande rugido e pulou em direção a eles e os pobres Winkies ficaram tão assustados que correram de volta o mais depressa que puderam.

Quando retornaram ao castelo, a Bruxa Malvada lhes deu uma sova com uma correia de couro e mandou-os de volta para o trabalho. Depois disso, ela sentou-se e começou a pensar no que faria a seguir. Ela não conseguia entender porque todos os seus planos para destruir os estrangeiros tinham falhado, mas era uma Bruxa tão poderosa quanto malvada e logo chegou a uma conclusão sobre como deveria agir.

Em seu armário, havia um Barrete Dourado rodeado de diamantes e rubis. Este Barrete Dourado tinha um encantamento. Quem quer que o possuísse, podia convocar três vezes os Macacos Alados, que obedeceriam a qualquer ordem que lhes fosse dada. Só que nenhuma pessoa podia comandar estas estranhas criaturas mais do que três vezes. Por duas vezes a Bruxa Malvada já tinha usado o encantamento do Barrete. Uma vez quando escravizou os Winkies e estabeleceu-se no governo de seu país. Os Macacos Alados também tinham ajudado nesta tarefa. A segunda foi quando lutou contra o próprio Grande Oz e o expulsou da Terra do Oeste. Os Macacos Alados também mais uma vez a ajudaram. Ela só podia usar o Barrete Dourado mais uma vez e era por isso que não queria fazê-lo até que todos os seus outros poderes tivessem acabado. Agora que seus lobos ferozes, e seus corvos selvagens, e suas abelhas ferroadoras tinham morrido, e seus escravos tinham sido assustados pelo Leão Covarde, ela percebeu que só lhe restava uma forma de destruir Dorothy e seus amigos.

Assim, a Bruxa Malvada tirou o Barrete Dourado do armário e colocou-o em sua cabeça. E, apoiada sobre o pé esquerdo, disse, lentamente:

– Êp-pe, pép-pe, cá-que!

E prosseguiu, agora sobre o pé direito:

– Hil-lo, hol-lo, hel-lo!

Depois disso, ficou com os dois pés no chão e gritou bem alto:

– Zíz-zi, zúz-zi, zíque!

E o encantamento começou a funcionar. O céu escureceu e se escutou um som grave e forte no ar, um ruído de muitas asas, uma grande algazarra e uma porção de risadas; e o sol saiu de trás do céu escuro para mostrar a Bruxa Malvada cercada por uma porção de Macacos, cada um com um par de asas imensas e poderosas em seus ombros.

Um deles, muito maior do que os outros, parecia ser o chefe. Ele voou para perto da Bruxa e disse:

– Você nos invocou pela terceira e última vez. Qual é seu comando?

– Vão até os forasteiros que estão dentro de minhas terras e destruam a todos, exceto o Leão – disse a Bruxa Malvada. – Tragam a fera para mim, porque eu pretendo atrelá-la como um cavalo e fazê-la trabalhar.

– Seu comando será obedecido – disse o Rei dos Macacos. E então, com uma grande algazarra e muitos outros ruídos, os Macacos Alados voaram até o lugar em que Dorothy e seus amigos estavam caminhando.

97

Alguns dos Macacos pegaram o Lenhador de Lata e o carregaram pelo ar até achar um lugar coberto de rochas pontiagudas. Ali, eles largaram o pobre Lenhador, que caiu de grande altura sobre as rochas, ficando deitado, tão amassado e torto que não podia se mover e nem sequer gemer.

Outro grupo de Macacos apanhou o Espantalho e com seus longos dedos puxaram toda a palha para fora de suas roupas e cabeça. Fizeram uma trouxinha com seu chapéu, botas e roupas e a atiraram nos ramos mais altos de uma grande árvore.

Os demais Macacos lançaram cordas fortes ao redor do Leão e deram várias laçadas em torno de seu corpo, cabeça e pernas, até que ele ficou incapaz de morder, arranhar ou lutar. Então, eles o ergueram e voaram de volta com ele para o castelo da Bruxa, onde foi colocado em um patiozinho com uma alta cerca de ferro ao redor, para não poder escapar.

À Dorothy eles não fizeram nenhum mal. Ela ficou parada, com Totó em seus braços, contemplando o triste destino de seus companheiros e imaginando que logo depois seria sua vez. O Rei dos Macacos Alados voou até ela, com seus longos braços cabeludos esticados e sua cara feia fazendo uma terrível careta, mas ele viu a marca do beijo da Bruxa Boa sobre sua testa e parou ali mesmo, fazendo sinal aos outros para que não a tocassem.

– Não ousaremos machucar esta garotinha – disse a eles. – Ela é protegida pelo Poder do Bem, que é maior que o Poder do Mal. Tudo que podemos fazer é carregá-la para o castelo da Bruxa Malvada e ali deixá-la.

Com cuidado e gentileza, eles ergueram Dorothy em seus braços e a carregaram velozmente pelo ar até que chegaram ao castelo, onde a colocaram sobre o degrau da frente.

O Rei dos Macacos disse à Bruxa:

– Nós obedecemos suas ordens tanto quanto foi possível. O Lenhador de Lata e o Espantalho foram destruídos e o Leão está amarrado em seu pátio. Porém a menina nós não ousamos ferir, nem o cachorro que ela traz em seus braços. Seu poder sobre nosso bando agora terminou e você nunca mais nos verá outra vez.

Todos os Macacos Alados, com muitos risos, gritarias e barulhada, voaram pelos ares e logo não foram mais vistos.

A Bruxa Malvada ficou surpreendida e preocupada quando viu a marca na testa de Dorothy, porque ela sabia muito bem que nem os Macacos Alados nem ela mesma ousariam ferir a menina. Ela olhou para os pés de Dorothy e, vendo os sapatos prateados, começou a tremer de medo; ela conhecia o poderoso encanto que lhes pertencia. A princípio, a Bruxa foi até tentada a fugir de Dorothy, mas olhando para os olhos da criança, viu como era simples a alma por detrás deles; mais ainda, descobriu que a garotinha não sabia do maravilhoso poder que os Sapatos Prateados lhe conferiam. A Bruxa Malvada riu para si mesma e pensou: "Eu ainda posso torná-la minha escrava, porque ela não sabe como usar o seu poder".

Ela disse a Dorothy, dura e severamente:

– Venha comigo e trate de me obedecer a tudo que lhe disser, porque se não o fizer, eu acabo com você, como dei fim ao Lenhador de Lata e ao Espantalho.

Dorothy seguiu-a, através de várias salas lindas de seu castelo, até chegarem na cozinha, onde a Bruxa mandou-a limpar as panelas e chaleiras, varrer o chão e manter o fogo aceso com pedaços de madeira.

Dorothy começou a trabalhar obedientemente, com a intenção de fazer o melhor que podia; estava contente que a Bruxa Malvada tivesse decidido não matá-la.

Vendo Dorothy aplicada no trabalho, a Bruxa resolveu ir até o pátio para atrelar o Leão Covarde como seu cavalo. Seria muito divertido, ela tinha certeza, vê-lo puxar sua charrete para onde quer que ela quisesse ir. Quando abriu o portão, o Leão deu um rugido muito alto e saltou em sua direção tão ferozmente que a Bruxa teve medo, correu para fora e trancou o portão de novo.

– Se eu não puder colocar arreios em você – disse a Bruxa ao Leão, falando através das grades do portão –, eu posso matá-lo de fome. Você não vai receber nada para comer, até que faça minha vontade.

A partir desse momento, ela não levou comida para o Leão aprisionado, mas todos os dias chegava até o portão ao meio-dia e perguntava:

– Você está disposto a ser atrelado como um cavalo?

E o Leão respondia:

– Não. Se você entrar no pátio, eu vou mordê-la.

A razão pela qual o Leão não iria fazer a vontade da Bruxa era que todas as noites, quando a mulher estava dormindo, Dorothy lhe levava comida tirada da despensa. Depois de comer, ele se deitava em sua cama de palha e Dorothy ao lado dele, com a cabeça em sua juba macia e peluda, enquanto falavam de seus problemas e tentavam planejar uma maneira de escapar. Não conseguiam descobrir uma maneira de sair do castelo, porque este era constantemente guardado pelos Winkies amarelos, os escravos da Bruxa Malvada, e tinham muito medo dela para não obedecerem às suas ordens.

A menina tinha de trabalhar pesado durante o dia e frequentemente a Bruxa ameaçava bater nela com a mesma sombrinha velha que sempre carregava consigo. Na realidade, ela não ousaria bater em Dorothy, devido à marca que havia em sua testa. A menina não sabia disso e estava sempre cheia de medo por sua causa e por Totó. Uma vez, a Bruxa deu uma pancada em Totó com a sombrinha e o corajoso cãozinho saltou em cima dela e mordeu-lhe a perna em resposta. A Bruxa não sangrou no lugar em que foi mordida, porque ela era tão malvada que seu sangue tinha secado dentro dela muitos anos antes.

A vida de Dorothy tornou-se muito triste quando ela percebeu que se tornava cada vez mais difícil retornar ao Kansas e à Tia Emily. Algumas vezes, ela chorava amargamente durante horas, com Totó sentado a seus pés e olhando para seu rosto, ganindo desalentadamente para demonstrar como lamentava a sorte de sua pequena dona. De fato, Totó não se importava de estar no Kansas ou na Terra de Oz, desde que Dorothy estivesse com ele; mas sabia que a menininha estava infeliz e isso também o deixava triste.

A Bruxa Malvada queria muito ficar com os Sapatos Prateados que a menina usava o tempo todo. Suas Abelhas, seus Corvos e seus Lobos estavam todos caídos aos montões e secando no sol e ela tinha usado todo o poder de seu Barrete Dourado. Mas se pudesse se apoderar dos Sapatos Prateados, eles lhe dariam maior poder do que todas as outras coisas que tinha perdido. Ela observava Dorothy cuidadosamente para ver se em algum momento ela tirava os sapatos, assim poderia roubá-los. Mas a criança tinha tanto orgulho deles que nunca os tirava, exceto de noite ou quando tomava banho. A Bruxa tinha muito medo do escuro para ousar ir ao quarto de Dorothy à noite para pegar os sapatos, e seu pavor da água era ainda maior do que seu medo do escuro; assim, ela nunca chegava perto quando Dorothy estava tomando banho. Inclusive, a Bruxa velha nunca tocava na água, e mesmo a água nunca tocava nela de forma alguma.

Mas a criatura malvada era muito esperta e finalmente pensou em um truque para conseguir o que queria. Colocou uma barra de ferro no meio do assoalho da cozinha e, por meio de suas artes mágicas, tornou a barra invisível aos olhos humanos. Quando Dorothy caminhava pelo assoalho, tropeçou na barra, porque não era capaz de vê-la, e caiu estirada no chão. Não se machucou muito, mas na queda um de seus Sapatos Prateados caiu e, antes que pudesse recuperá-lo, a Bruxa já tinha agarrado e colocado em seu próprio pé magricela.

A malvada ficou muito contente com o sucesso de seu truque, porque agora tinha um dos sapatos e possuía metade do poder de seu encanto; Dorothy não poderia usá-lo contra ela, mesmo que soubesse como.

A meninazinha, vendo que tinha perdido um de seus bonitos sapatos, ficou furiosa e disse à Bruxa:

– Devolva meu sapato!

– Eu não devolvo – retorquiu a Bruxa. – Agora o sapato é meu e não é mais seu.

– Você é uma criatura malvada! – gritou Dorothy. – Você não tem direito de tirar o meu sapato!

– Mas vou ficar com ele, mesmo assim – disse a Bruxa, rindo dela. – E algum desses dias, eu vou pegar o outro também.

Isso deixou Dorothy tão zangada, que ela pegou o balde de água que estava a seu lado e esvaziou-o em cima da Bruxa, molhando-a da cabeça aos pés.

Instantaneamente, a mulher malvada deu um grito de medo e, enquanto Dorothy olhava para ela espantada, a Bruxa começou a encolher e a escorrer.

– Veja o que você fez! – gritou ela. – Dentro de um minuto, eu vou me derreter!

– Eu lamento muito mesmo – disse Dorothy, que realmente tinha se assustado ao ver a Bruxa derretendo diante de seus olhos, como se fosse feita de açúcar mascavo.

– Então você não sabia que a água ia acabar comigo? – perguntou a Bruxa, em uma voz desesperada que era quase um uivo.

– É claro que não – respondeu Dorothy. – Como é que eu ia saber?

– Dentro de alguns minutos eu terei derretido toda e você se tornará a dona do castelo. Fui muito malvada em minha vida, mas nunca pensei que uma garotinha como você seria capaz de me derreter e terminar com minhas más ações. Cuidado, lá vou eu!

E com estas palavras, a Bruxa se desmanchou em uma massa marrom e sem forma, espalhando-se pelas tábuas limpas do chão da cozinha.

Vendo que ela tinha realmente se derretido, Dorothy encheu outro balde de água e jogou sobre a sujeira. Então varreu todo o chão. Depois de pegar de volta o sapato prateado, que era tudo que tinha restado da velha, ela o limpou e secou com um pano e colocou-o de novo em seu pé. Então, estando finalmente livre para fazer o que quisesse, correu para o pátio a fim de contar ao Leão que a Bruxa Malvada do Oeste tinha morrido e que eles não eram mais prisioneiros em uma terra estranha.

Capítulo 13

O Leão Covarde ficou muito feliz em saber que a Bruxa Malvada tinha sido derretida por um balde de água, e logo Dorothy destrancou o portão de sua jaula e o deixou livre. Eles entraram juntos no castelo, onde o primeiro ato de Dorothy foi reunir todos os Winkies e dizer-lhes que não eram mais escravos.

Houve grande alegria entre os Winkies amarelos, pois tinham sido obrigados a trabalhar arduamente durante muitos anos para a Bruxa Malvada, que sempre os tratara com grande crueldade. Eles fizeram desse dia um feriado, nesse ano e para sempre, em que passavam o tempo se banqueteando e dançando!...

– Se ao menos nossos amigos, o Espantalho e o Lenhador de Lata, estivessem conosco – disse o Leão –, eu ficaria muito feliz.

– Você não acha que nós podemos resgatá-los? – perguntou a menina ansiosamente.

– Podemos tentar – respondeu o Leão.

Eles chamaram os Winkies amarelos e perguntaram se eles ajudariam a resgatar seus amigos. Os Winkies disseram que teriam o maior prazer em fazer tudo o que pudessem por Dorothy, que os havia libertado da servidão. Assim, ela escolheu alguns dos Winkies que lhe pareceram os mais espertos e juntos partiram. Viajaram o dia todo e parte do dia seguinte até chegarem na planície em que jazia o Lenhador de Lata, todo amassado e torto. Seu machado estava perto dele, mas a lâmina estava enferrujada e o cabo tinha sido quebrado.

Os Winkies o levantaram em seus braços com delicadeza e o carregaram de volta para o castelo amarelo. Dorothy derramou algumas lágrimas no caminho, vendo a triste condição de seu velho amigo, e o Leão se manteve sério e entristecido.

Quando eles chegaram ao castelo, Dorothy disse aos Winkies:

– Existe algum funileiro por aqui?

– Oh, sim, há alguns funileiros muito bons – disseram-lhe eles.

– Então, tragam-nos à minha presença – disse ela. E quando chegaram os funileiros, trazendo com eles todas as suas ferramentas em cestos, ela indagou:

– Vocês podem consertar esses amassados no Lenhador de Lata, desentortá-lo para que volte à antiga forma e soldá-lo nos lugares em que estiver quebrado?

Os funileiros examinaram o Lenhador com todo o cuidado e então responderam que seriam capazes de consertá-lo tão bem que ele ficaria como novo. Puseram-se a trabalhar em uma das grandes salas amarelas do castelo, e trabalharam por três dias e quatro noites, martelando, retorcendo, dobrando, soldando, polindo e batendo nas pernas, no corpo e na cabeça do Lenhador de Lata, até que finalmente ele foi endireitado e voltou à sua antiga forma e suas juntas funcionavam tão bem quanto antes. É verdade que fizeram vários remendos, mas foi uma obra muito bem feita e como o Lenhador não era um homem vaidoso, não se importou nem um pouquinho com os remendos.

Quando, finalmente, ele entrou no quarto de Dorothy e agradeceu-lhe por tê-lo resgatado, estava tão feliz que soltou lágrimas de alegria; Dorothy teve de secar cuidadosamente cada lágrima de seu rosto com o aventalzinho, para que suas juntas não se enferrujassem de novo. Ao mesmo tempo, suas próprias lágrimas desciam grossas e rápidas pela alegria de encontrar seu velho amigo de novo. Ainda bem que estas lágrimas não precisavam ser secadas. Quanto ao Leão, ele secou seus olhos tantas vezes com a ponta da cauda, que esta ficou completamente úmida e ele foi obrigado a sair para o pátio e esticá-la no sol até que secasse.

– Se ao menos o Espantalho estivesse conosco outra vez – disse o Lenhador de Lata, quando Dorothy acabou de lhe contar tudo o que tinha ocorrido –, então eu ficaria inteiramente feliz.

– Nós temos que tentar encontrá-lo – disse a menina.

Ela convocou os Winkies para ajudá-la e eles caminharam todo aquele dia e parte do dia seguinte até que chegaram à grande árvore em cujos ramos os Macacos Alados tinham lançado as roupas do Espantalho.

Era uma árvore muito alta e o tronco era tão liso que ninguém conseguia subir por ele; mas o Lenhador disse logo:

– Vou derrubar a árvore e então poderemos pegar as roupas do Espantalho.

Enquanto os funileiros se atarefavam consertando o próprio Lenhador, outro dos Winkies, que era ourives, tinha feito um cabo de machado de ouro maciço e encaixado nele o machado do Lenhador, no lugar do antigo cabo que havia quebrado. Outros poliram a lâmina até que toda a ferrugem fosse removida e brilhasse como se fosse feita de prata polida.

Logo depois que falou, o Lenhador de Lata começou a lenhar e em pouco tempo a árvore caiu com um estrondo. As roupas do Espantalho tombaram dos galhos e rolaram para o chão.

Dorothy as apanhou e fez com que os Winkies as levassem de volta para o castelo, onde foram estufadas novamente com uma boa palha limpa; e vejam: lá estava o Espantalho, tão bom quanto novo, agradecendo-lhes muitas vezes por ter sido salvo.

Agora que estavam novamente juntos, Dorothy e seus amigos passaram alguns dias felizes no Castelo Amarelo, no qual encontraram tudo o que era necessário para tornar-lhes a vida confortável. Um dia, a menina pensou na Tia Emily e disse:

– Nós devemos voltar para Oz e reclamar o que nos foi prometido.

– Sim – disse o Lenhador –, finalmente eu vou ganhar meu coração.

– E eu vou ganhar meu cérebro – acrescentou alegremente o Espantalho.

– E eu vou conseguir minha coragem – disse o Leão, pensativamente.

– E eu vou voltar para o Kansas – gritou Dorothy, batendo palmas. – Oh, vamos partir para a Cidade das Esmeraldas amanhã!

Foi o que decidiram fazer. No dia seguinte, reuniram todos os Winkies e lhes deram adeus. Os Winkies lamentaram sua partida, e tinham gostado tanto do Lenhador de Lata, que lhe pediram para ficar e governar sobre eles e sobre a Terra Amarela do Oeste. Mas vendo que eles estavam determinados a partir, os

Winkies deram a Totó e ao Leão uma coleira de ouro para cada um; a Dorothy, eles presentearam com um lindo bracelete recoberto de diamantes; e ao Espantalho, eles deram uma bengala de castão de ouro, para que não tropeçasse mais; para o Lenhador de Lata, eles ofereceram uma lata de óleo feita de prata, com incrustações de ouro e de pedras preciosas.

Em troca, cada um dos viajantes proferiu um belo discurso para os Winkies e todos se apertaram as mãos até que os braços doessem.

Dorothy foi ao armário da Bruxa a fim de encher sua cesta com comida e lá ela encontrou o Barrete Dourado. Ela o experimentou em sua própria cabeça e viu que lhe sentava muito bem. Ela não sabia nada sobre o encanto do Barrete Dourado, mas achou-o bonito, e resolveu usá-lo; tirou sua touca e colocou-a dentro da cesta.

Tendo-se preparado para a jornada, todos partiram para a Cidade das Esmeraldas; e os Winkies deram três vivas e muitos votos de felicidade para levarem com eles.

Capítulo 14

Você deve se lembrar de que não havia estrada – nem sequer um caminho – entre o castelo da Bruxa Malvada e a Cidade das Esmeraldas. Quando os quatro viajantes vieram em busca da Bruxa, ela tinha visto sua chegada e enviado os Macacos Alados para trazê-los. Era muito mais difícil encontrar o caminho de volta entre os grandes campos de ranúnculos e magníficas margaridas do que tinha sido quando foram carregados. Eles sabiam, naturalmente, que deveriam marchar direto para Leste, na direção do sol nascente, e assim partiram na direção certa. Porém, ao meio-dia, quando o sol brilhava sobre suas cabeças, eles não sabiam mais de que lado era o leste e de que lado era o oeste, e por essa razão, perderam-se nos campos verdes. Todavia, prosseguiram na caminhada, e de noite a lua saiu e brilhou fortemente. Eles se deitaram entre flores escarlates de um perfume doce e dormiram profundamente até de manhã – com a exceção do Espantalho e do Lenhador de Lata.

Na manhã seguinte, o sol estava por trás das nuvens, mas eles recomeçaram a caminhada, como se tivessem muita certeza do lugar para onde iam.

– Se nós caminharmos bastante – disse Dorothy – tenho certeza de que acabaremos chegando a algum lugar.

Mas os dias foram passando e eles ainda não avistavam nada diante deles, a não ser os campos escarlates. O Espantalho começou a resmungar:

– Acho que estamos perdidos – disse ele. – E a não ser que encontremos o caminho para a Cidade das Esmeraldas, eu nunca vou ganhar um cérebro.

– Nem eu vou ganhar um coração – declarou o Lenhador de Lata. – Mal posso esperar para chegar em Oz, mas vocês devem admitir que esta jornada está ficando muito comprida.

– E eu – disse o Leão Covarde, com um gemido. –, eu não tenho coragem de seguir caminhando para sempre, sem chegar a lugar nenhum!

Então, a própria Dorothy perdeu a esperança. Sentou-se na grama e olhou para seus companheiros e eles se sentaram e olharam para ela e Totó se deu conta de que pela primeira vez em sua vida estava cansado demais para perseguir uma borboleta que voava perto de sua cabeça. Pôs a língua para fora e resfolegou e olhou para Dorothy como se estivesse perguntando o que deveriam fazer.

– Suponhamos que chamemos os ratos do campo – sugeriu ela. – Eles provavelmente podem nos dizer o caminho para a Cidade das Esmeraldas.

– Mas é claro que eles podem! – gritou o Espantalho. – Por que não pensamos nisso antes?

Dorothy assoprou o apitinho que carregara pendurado em seu pescoço desde que a Rainha dos Ratos lhe tinha dado. Em poucos minutos, eles escutaram os passinhos de pés minúsculos, e muitos dos pequenos ratos cinzentos vieram correndo em sua direção. Entre estes se achava a própria Rainha, que perguntou com sua vozinha esganiçada:

– O que posso fazer pelos meus amigos?

– Nós perdemos o caminho – disse Dorothy. – Pode nos dizer onde fica a Cidade das Esmeraldas?

– Claro que sim – respondeu a Rainha. – Mas fica muito longe daqui, vocês se perderam e caminharam na direção oposta todo esse tempo.

Ela percebeu o Barrete Dourado de Dorothy e disse:

– Por que você não usa o encantamento do Barrete e chama os Macacos Alados? Eles vão levá-los até a Cidade de Oz em menos de uma hora.

– Mas eu nem sabia que o Barrete era encantado! – respondeu Dorothy, cheia de surpresa. – Qual é o encantamento?

– Está escrito do lado de dentro do Barrete – replicou a Rainha dos Ratos. – Mas se vocês vão chamar os Macacos Alados, primeiro nós vamos fugir para longe, porque eles são muito arteiros e acham muito divertido mexer conosco.

– E a mim, eles não vão machucar? – perguntou a menina, ansiosamente.

– Claro que não. Eles devem obedecer sempre à pessoa que usa o Barrete. Adeus!

E correu para fora de suas vistas, com os ratinhos apressados atrás de si.

Dorothy olhou dentro do Barrete Dourado e viu algumas palavras escritas no forro. Bem, pensou ela, este deve ser o encantamento. Ela leu as instruções cuidadosamente e depois colocou o Barrete de volta em sua cabeça.

– Ép-pe, pép-pe, cá-qui! – disse ela, parada no pé esquerdo.

– O que você disse? – perguntou o Espantalho, que não sabia o que ela estava fazendo.

– Hil-lo, hol-lo, hel-lo! – prosseguiu Dorothy, parando desta vez no pé direito.

– Hel-lo! – repetiu o Lenhador de Lata, calmamente.

– Zíz-zi, zúz-zi, zíque! – disse Dorothy, que agora estava parada nos dois pés. Com isso, ela completou o encantamento e eles escutaram uma grande algazarra e o barulho de muitas asas batendo, enquanto o bando de Macacos Alados voava até eles.

O Rei fez uma profunda reverência diante de Dorothy e perguntou:

– Qual é o seu comando?

– Nós queremos ir até a Cidade das Esmeraldas – disse a criança –, mas nos perdemos.

– Nós os carregaremos – replicou o Rei. Assim que ele falou, dois dos Macacos pegaram Dorothy em seus braços e voaram com ela. Outros pegaram o Espantalho, e o Lenhador e o Leão, enquanto um Macaquinho segurava Totó e voava atrás deles, ainda que o cãozinho se esforçasse para lhe dar uma mordida.

O Espantalho e o Lenhador de Lata ficaram muito assustados no princípio, porque se lembravam de como os Macacos Alados os tinham maltratado antes. Mas perceberam que, desta vez, eles não pretendiam fazer-lhes nenhum mal e assim aproveitaram o passeio pelos ares e se divertiram muito olhando para os belos jardins e bosques que passavam abaixo deles.

Dorothy encontrou-se viajando confortavelmente entre dois dos maiores Macacos, sendo um deles o próprio Rei. Eles tinham feito uma cadeirinha com as mãos e tomavam todo o cuidado para não machucá-la.

– Por que vocês têm de obedecer ao encantamento do Barrete Dourado? – ela quis saber.

– Ah, é uma longa história – respondeu o Rei com uma risada. – Mas como nós temos uma longa jornada diante de nós, eu vou passar o tempo contando-lhe tudo, se você quiser.

– Gostarei muito de escutar – replicou ela.

– Houve um tempo – começou o chefe –, em que éramos um povo livre. Vivíamos alegremente na grande floresta, voando de árvore em árvore, comendo nozes e frutas e fazendo tudo o que queríamos sem que ninguém fosse nosso amo. Talvez alguns de nós fossem muito arteiros algumas vezes, voando até o chão para puxar os rabos dos animais que não dispunham de asas, perseguindo os pássaros e jogando nozes nas pessoas que caminhavam pela floresta. Mas nós éramos descuidados e felizes, nos divertíamos muito e gozávamos cada minuto do dia. Isto foi muitos anos atrás, muito antes que Oz viesse através das nuvens para governar esta terra.

"Nesse tempo, morava aqui – ele continuou – lá bem longe no Norte, uma linda princesa que era também uma feiticeira poderosa. Toda a sua mágica era usada para ajudar as pessoas, e nunca se ouviu falar que ela machucasse alguém que fosse bom. Seu nome era Gayelette e ela vivia em um lindo palácio construído de grandes blocos de rubis. Todos a amavam, mas sua grande tristeza era a de que ela não podia encontrar ninguém a quem pudesse amar, já que todos os homens eram muito estúpidos e feios para poderem casar com alguém tão bela e sábia. Finalmente, entretanto, ela encontrou um rapaz muito simpático e belo, e mais sábio do que sua idade permitiria. Gayelette decidiu que quando ele se tornasse um homem, ela o faria seu marido; deste modo, ela o levou para seu palácio de rubis e usou de todos os seus poderes mágicos para torná-lo tão forte, bom e amável quanto qualquer mulher pudesse desejar. Quando se tornou homem, Quelala, este era seu nome, tornou-se o melhor e mais sábio homem de toda a Terra, segundo se diz; e sua beleza máscula era tão grande que Gayelette o amou ternamente e se apressou para aprontar tudo para o casamento. Nessa época, meu avô era o Rei dos Macacos Alados, que viviam na floresta, perto do palácio de Gayelette, e aconteceu que o velho camarada adorava uma brincadeira mais do que um bom jantar. Um dia, logo antes do casamento, meu avô estava voando com seu bando de macacos, quando avistou Quelala caminhando ao lado do rio. Ele estava usando uma rica indumentária de seda cor-de-rosa e veludo roxo e meu avô ficou com vontade de ver o que ele era capaz de fazer. À sua ordem, o bando voou para baixo e pegou Quelala, carregou-o em seus braços até que estivesse no meio do rio e então deixou-o cair dentro da água.

"Nade para fora, meu belo rapaz – gritou meu avô – e veja se a água manchou suas roupas!... – Quelala era esperto demais para não saber nadar e a sua boa sorte não tinha conseguido estragá-lo. Ele riu quando chegou à superfície da água e nadou até a praia. Mas quando Gayelette veio correndo para encontrá-lo, descobriu que suas sedas e veludos tinham sido completamente estragados pela água do rio.

"A princesa ficou furiosa, e naturalmente ela sabia quem era o culpado. Mandou trazer todos os Macacos Alados diante dela e inicialmente disse que suas asas deveriam ser amarradas e então eles seriam tratados como tinham tratado Quelala, isto é, jogados dentro do rio. Meu avô suplicou muito, porque ele sabia que os Macacos se afogariam se fossem jogados no rio com as asas atadas, e até Quelala intercedeu por eles. Gayelette

115

finalmente os poupou, sob a condição de que daí para a frente os Macacos Alados obedeceriam três vezes aos comandos do proprietário do Barrete Dourado. Este Barrete ela mandou fazer como presente de casamento para Quelala, e dizem que custou à princesa o valor de metade de seu Reino. É claro que meu avô e todos os outros Macacos imediatamente concordaram com esta condição, e assim por três vezes somos escravos do proprietário do Barrete Dourado, seja lá quem for."

— E o que aconteceu com eles? — perguntou Dorothy, que tinha ficado muito interessada pela história.

— Quelala tornou-se o primeiro proprietário do Barrete Dourado — replicou o macaco. — Ele foi o primeiro a lançar seus desejos sobre nós. Como sua noiva não podia suportar nos enxergar outra vez, ele chamou a todos na floresta depois que tinha se casado com ela e nos ordenou que permanecêssemos sempre em lugares onde ela não pudesse pôr os olhos sobre um de nós, coisa que ficamos muito felizes de fazer, porque todos tínhamos muito medo dela.

Isso foi tudo que tivemos de fazer, até que o Barrete Dourado caiu nas mãos da Bruxa Malvada do Oeste, que nos fez escravizar os Winkies e depois expulsar o próprio Oz da Terra do Oeste. Agora, o Barrete Dourado é seu e por três vezes você terá o direito de lançar seus desejos sobre nós, para que os cumpramos.

Quando o Rei dos Macacos terminou sua história, Dorothy olhou para baixo e viu as paredes verdes e reluzentes da Cidade das Esmeraldas diante deles. Ela ficou espantada com a rapidez do voo dos Macacos, mas estava feliz de que a viagem tivesse terminado. As estranhas criaturas colocaram os viajantes no chão, com todo o cuidado, em frente ao portão da Cidade;

o Rei fez uma curvatura diante de Dorothy e então voou rapidamente para longe, seguido por todo o seu bando.

– Foi um belo passeio – disse a meninazinha.

– Sim, e uma maneira rápida de nos livrarmos de nossos problemas – replicou o Leão.

– Que sorte você ter trazido esse Barrete maravilhoso!

Capítulo 15

Os quatro viajantes caminharam até o grande portão da Cidade das Esmeraldas e tocaram a campainha. Depois de tocarem várias vezes, o portão foi aberto pelo mesmo Guardião dos Portões que tinham encontrado antes.

– O quê? Já voltaram? – perguntou ele, surpreendido.

– Pois não está nos vendo? – respondeu o Espantalho.

– Mas eu pensei que vocês tinham ido visitar a Bruxa Malvada do Oeste.

– Acontece que nós já visitamos – disse o Espantalho.

– E ela deixou vocês saírem de lá? – perguntou o homem, maravilhado.

– Ela não pôde evitar, porque se derreteu – explicou o Espantalho.

– Derreteu? Bem, essa é realmente uma boa notícia – disse o homem. – Quem foi que a derreteu?

– Foi Dorothy – disse o Leão, gravemente.

– Minha nossa! – exclamou o homem, e fez uma profunda reverência diante dela.

Ele os conduziu à sua salinha e prendeu os óculos da grande caixa sobre seus olhos e ao redor de suas cabeças, conforme tinha feito antes. Depois disso, eles passaram pelo portãozinho para a Cidade das Esmeraldas, e quando o povo soube, pelo Guardião dos Portões, que eles tinham derretido a Bruxa Malvada do Oeste, todos se reuniram ao redor dos viajantes e os seguiram em uma grande multidão até o Palácio de Oz.

O soldado de barba verde ainda se achava de guarda diante da porta e deixou que entrassem logo, e encontraram de novo a linda moça verde, que em seguida conduziu cada um deles a seus quartos, de modo que pudessem descansar até que o Grande Oz estivesse disposto a recebê-los.

O soldado foi diretamente levar a notícia a Oz, contando-lhe que Dorothy e os outros viajantes tinham retornado, depois de destruírem a Bruxa Malvada; porém Oz não deu qualquer resposta. Eles pensaram que o Grande Mágico os chamaria em seguida, mas isto não aconteceu. Eles não receberam notícias no dia seguinte, nem no outro, nem no outro. A espera foi cansativa e demorada e finalmente eles começaram a ficar aborrecidos, porque Oz os estava tratando de maneira muito pouco delicada, depois de tê-los mandado passar trabalhos e sofrer escravidão.

O Espantalho finalmente pediu à moça verde que levasse outra mensagem para Oz, dizendo que, se ele não permitisse que o vissem, eles chamariam os Macacos Alados para ajudá-los a descobrir se ele mantinha suas promessas ou não. Quando o Mágico recebeu esta mensagem, ficou tão assustado que deu ordens para que viessem à Sala do Trono às nove horas e quatro minutos na manhã seguinte. Ele já tinha encontrado os Macacos Alados uma vez na Terra do Oeste e não tinha vontade de encontrá-los de novo.

Os quatro viajantes passaram a noite sem dormir, cada um pensando na promessa que Oz tinha feito. Somente Dorothy adormeceu e então sonhou que estava no Kansas e Tia Emily estava-lhe dizendo como ficara contente de ter sua garotinha em casa de novo.

Prontamente às nove horas, o soldado de barbas verdes veio buscá-los, e quatro minutos depois, todos eles entraram na Sala do Trono do Grande Oz.

É claro que cada um deles esperava ver o Mágico na forma que ele tinha assumido antes, e todos ficaram extremamente surpreendidos quando olharam em volta e não encontraram ninguém na sala. Permaneceram próximos à porta e, juntos uns dos outros, porque a quietude da sala vazia era mais pavorosa do que qualquer uma das formas que eles tinham visto Oz assumir.

Por fim, eles escutaram uma voz que parecia vir de algum lugar perto do topo da grande abóbada. A Voz disse, solenemente:

— Eu sou Oz, o Grande e Terrível. Por que me buscam?

Eles olharam novamente para todos os lados da peça e então, uma vez que não havia ninguém, Dorothy perguntou:

— Onde você está?

— Eu estou em toda parte — respondeu a Voz. — Porém, para os olhos dos mortais comuns, eu sou invisível. Agora vou sentar em meu trono, para que possam conversar comigo.

Sem dúvida, a Voz pareceu nesse momento provir do próprio trono; juntos eles caminharam até ele e ficaram lado a lado, até que Dorothy disse:

— Nós viemos cobrar as suas promessas, ó, Oz!

— Mas que promessas? — perguntou Oz.

— Você prometeu mandar-me de volta para o

Kansas, quando a Bruxa Malvada fosse destruída – disse a menina.

– E você prometeu me dar um cérebro – disse o Espantalho.

– E você prometeu me dar um coração – disse o Lenhador de Lata.

– E você prometeu me dar coragem – disse o Leão Covarde.

– A Bruxa Malvada foi realmente destruída? – perguntou a Voz. Dorothy teve a impressão de que a Voz tremia um pouco.

– Sim – ela respondeu. – Eu derreti a Bruxa com um balde de água.

– Ai de mim – disse a Voz –, mas como foi depressa! Bem, voltem amanhã aqui, porque eu preciso de tempo para pensar nisso.

– Você já teve muito tempo – disse o Lenhador de Lata, zangado.

– Nós não vamos esperar nem um dia mais – disse o Espantalho.

– Você deve manter as promessas que nos fez! – exclamou Dorothy.

O Leão pensou que podia tentar dar um susto no Mágico. Soltou um grande e alto rugido, tão feroz e pavoroso que Totó pulou para longe dele, alarmado, derrubando a cortina que havia em um dos cantos. No momento em que ela caiu com grande ruído, todos olharam para aquele lado e, no instante seguinte, tiveram uma grande surpresa. Parado justamente no lugar que a cortina tinha escondido, encontrava-se um homem velho e pequenino, careca e com o rosto enrugado, que parecia estar tão surpreendido quanto eles.

O Lenhador de Lata, erguendo seu machado, avançou até onde se achava o homenzinho e gritou:

– Quem é você?

– Eu sou Oz, o Grande e Terrível – disse o baixinho, com voz trêmula –, mas não me bata, por favor, não me bata, eu farei qualquer coisa que vocês quiserem.

Nossos amigos olharam para ele, surpresos e desapontados.

– Eu pensei que Oz fosse uma grande Cabeça – disse Dorothy.

– E eu pensei que Oz era uma linda Dama – disse o Espantalho.

– E eu pensei que Oz fosse uma Besta terrível – disse o Lenhador de Lata.

– E eu pensei que Oz fosse uma Bola de Fogo – exclamou o Leão.

– Não, todos vocês estão errados – disse o homenzinho, em voz baixa. – Tudo isso era faz de conta.

– Faz de conta? – gritou Dorothy. – Mas, então, você não é um Grande Mágico?

– Fale baixo, minha querida – disse ele. – Não fale tão alto, porque podem escutar. Aí eu estarei arruinado. Todos pensam que eu sou um Grande Mágico.

– Mas você não é? – ela perguntou.

– Nada de parecido, minha querida: eu sou apenas um homem comum.

– Você é mais do que isso – disse o Espantalho, em um tom ofendido – Você é um Impostor!

– Exatamente isso! – declarou o homenzinho, esfregando as mãos como se isso lhe agradasse. – Eu sou um Impostor.

– Mas isso é terrível! – disse o Lenhador de Lata.
– Como é que vou conseguir meu coração?

– Ou minha coragem? – perguntou o Leão.

– Ou meu cérebro? – gemeu o Espantalho, secando as lágrimas dos olhos com a manga de seu casaco.

– Meus caros amigos – disse Oz. – Peço que não falem dessas ninharias. Pensem em mim e na terrível dificuldade em que me encontro, agora que vocês me descobriram.

– Ninguém mais sabe que você é um Impostor? – perguntou Dorothy.

– Ninguém mais sabe, exceto vocês quatro – e eu mesmo – replicou Oz. – Eu venho enganando todo mundo há tanto tempo que eu achava que nunca ninguém ia descobrir. Foi um grande erro ter permitido que vocês entrassem na minha Sala do Trono. Em geral, eu não vejo sequer os meus súditos, e assim eles acreditam que eu sou algo de terrível.

– Mas eu não entendo – disse Dorothy, espantadíssima. – Como foi que você me apareceu como uma grande Cabeça?

– Esse é um de meus truques – respondeu Oz. – Chegue até aqui, por favor, que eu vou lhe contar tudo.

Ele mostrou o caminho até uma pequena câmara que ficava por trás da Sala do Trono e todos o seguiram. Ele apontou para um canto e lá estava a Grande Cabeça, feita de papel bem grosso, com um rosto cuidadosamente pintado.

– Eu penduro esta máscara no teto com um arame – disse Oz. – Fico parado por trás da cortina e puxo uns cordões, para fazer os olhos se moverem e a boca abrir.

— Mas e a voz? — ela inquiriu.

— Oh, eu sou ventríloquo — disse o baixinho. — Posso projetar o som de minha voz onde quer que eu queira; assim, você pensou que a voz estava saindo da Cabeça. Aqui estão as outras coisas que eu usei para enganar vocês.

Ele mostrou ao Espantalho o vestido e a máscara que tinha usado para parecer uma linda Dama; e o Lenhador de Lata viu que sua terrível Besta não era mais que uma porção de peles costuradas juntas, com uma armação de ripas para manter as partes no lugar. Quanto à Bola de Fogo, o falso Mágico também a pendurava no teto. Na verdade, era uma bola de algodão, mas quando derramavam óleo sobre ela, queimava violentamente.

— Francamente — disse o Espantalho —, você deveria envergonhar-se por ser um charlatão dessa espécie.

— Eu estou envergonhado, certamente estou — respondeu o homenzinho com uma expressão triste —, mas era a única coisa que eu podia fazer. Sentem-se, por favor, há bastante cadeiras. Eu vou contar-lhes minha história.

Todos se sentaram e escutaram ele contar a seguinte história:

— Eu nasci em Omaha...

— Ora, essa cidade não fica muito longe do Kansas! — gritou Dorothy.

— Não, mas é bem mais longe daqui — disse ele, sacudindo a cabeça com tristeza. — Quando eu cresci, me tornei um ventríloquo, e nessa profissão eu realmente fui bem treinado por um grande mestre. Posso imitar qualquer tipo de pássaro ou animal.

Aí ele miou tão parecido com um gato que Totó mexeu as orelhas e olhou por toda a parte para ver onde o gatinho estava.

– Depois de algum tempo – continuou Oz –, me cansei disso e tornei-me um balonista.

– O que é isso? – perguntou Dorothy.

– Um homem que sobe em um balão, quando o circo chega na cidade. Assim ele atrai uma multidão de pessoas, que depois pagam para entrar no circo – ele explicou.

– Oh! – disse ela – eu sei.

– Bem, um dia eu subi em um balão e as cordas se enroscaram, de modo que eu não podia descer de novo. O balão foi subindo muito acima das nuvens, tão longe que uma corrente de ar o atingiu e carregou por muitas e muitas milhas. Durante um dia e uma noite, eu viajei através dos ares, e na manhã do segundo dia, quando me acordei, descobri que o balão estava flutuando sobre uma terra estranha e linda.

Ele desceu gradualmente e eu nem me machuquei. Mas descobri que estava no meio de um povo estranho que, ao ver-me descer dentre as nuvens, pensou que eu fosse um Grande Mágico. É claro que eu deixei que seguissem pensando, porque eles tinham medo de mim e prometeram fazer qualquer coisa que eu quisesse.

Somente para me divertir e para manter o povo ocupado, eu ordenei que construíssem esta cidade e o meu palácio; e assim eles fizeram, de boa vontade e muito bem. Então eu pensei, já que o país era tão verde e lindo, eu ia chamá-lo de Cidade das Esmeraldas, e para fazer com que o nome correspondesse melhor, coloquei óculos verdes em todas as pessoas, para que tudo o que vissem ficasse verde.

– Mas todas as coisas não são verdes aqui, então? – perguntou Dorothy.

– Não mais que em qualquer outra cidade – replicou Oz. – Mas quando você usa óculos verdes, é claro que tudo que você olha fica verde. A Cidade das Esmeraldas foi construída há muitos e muitos anos, porque eu era jovem quando o balão me trouxe para cá e agora eu sou um homem muito velho. Porém meu povo usa óculos verdes há tanto tempo que a maioria deles realmente pensa que é uma cidade feita de esmeraldas; na verdade, é um lugar lindo, com joias abundantes, metais preciosos e todas as coisas necessárias para nos tornar felizes. Tenho sido bom para o povo e eles gostam de mim; mas desde que este Palácio foi construído, eu me tranquei e não quis ver mais nenhum deles.

"Um de meus maiores medos eram as Bruxas, porque eu sabia que não tinha nenhum poder mágico, mas logo descobri que as Bruxas eram capazes de fazer coisas maravilhosas. Havia quatro delas neste país e elas governavam as pessoas que viviam no Norte, no Sul, no Leste e no Oeste. Afortunadamente, as Bruxas do Norte e do Sul eram boas, e eu sabia que não iriam me fazer mal; mas as bruxas do Leste e do Oeste eram terrivelmente malvadas, e se não tivessem pensado que eu era mais poderoso do que elas, sem a menor dúvida teriam me destruído. Assim, eu vivi em medo mortal delas por muitos anos; você não pode imaginar a alegria que me deu quando eu soube que sua casa havia caído sobre a Bruxa Malvada do Leste. Quando você veio até mim, eu estava disposto a prometer qualquer coisa, se ao menos você se dispusesse a acabar com a outra Bruxa; mas agora que você a derreteu, tenho vergonha de dizer que não posso manter as minhas promessas.

– Acho que você é um homem muito mau – disse Dorothy.

– Oh, não, minha querida. Na realidade eu sou um homem muito bom; mas tenho de admitir que sou um mau Mágico.

– Você não pode me dar um cérebro? – perguntou o Espantalho.

– Você não precisa de um. Está aprendendo alguma coisa todos os dias. Um bebê tem cérebro, mas não sabe muita coisa. A experiência é a única coisa que traz conhecimento, e quanto mais tempo você ficar na Terra, tanto mais experiência você terá.

– Isso pode ser verdade – disse o Espantalho –, mas eu ficarei muito infeliz, a não ser que você me dê um cérebro.

O falso Mágico contemplou-o cuidadosamente.

– Bem – disse ele, com um suspiro –, eu não sou lá essas coisas como mágico, já lhe disse antes; mas se você vier me ver amanhã pela manhã, eu colocarei um cérebro em sua cabeça. Todavia, não sei como ensiná-lo a usar, você deve descobrir sozinho.

– Oh, muito obrigado – muito obrigado! – gritou o Espantalho. – Não se preocupe, eu vou descobrir como é que se usa!

– E quanto à minha coragem? – perguntou o Leão, ansiosamente.

– Você já tem bastante coragem, tenho certeza – respondeu Oz. – Tudo de que precisa é confiança em si mesmo. Não existe um ser vivo que não tenha medo quando se acha em perigo. A verdadeira coragem consiste em enfrentar o perigo quando você está com medo, e esse tipo de coragem você já tem bastante.

– Talvez eu tenha, mas fico assustado mesmo assim – disse o Leão. – Eu realmente vou ficar muito infeliz, a não ser que você me dê o tipo de coragem que faz com que a gente se esqueça de que está com medo.

– Tudo bem; eu lhe darei esse tipo de coragem amanhã – replicou Oz.

– E meu coração? – perguntou o Lenhador de Lata.

– Ora, quanto a isso – respondeu Oz –, eu acho que você está errado em desejar um coração. Corações tornam as pessoas tão infelizes!... Se você ao menos soubesse da sorte que tem por não possuir um coração!

– Isso é uma questão de opinião – disse o Lenhador de Lata. – Da minha parte, suportarei toda a infelicidade sem um murmúrio, desde que você me dê o coração.

– Tudo bem – respondeu Oz, mansamente. – Venha amanhã e você terá um coração. Eu já banquei o Mágico por tantos anos, que não me custa desempenhar esse papel por um pouquinho mais.

– E agora – disse Dorothy –, como eu vou voltar para o Kansas?

– Nós vamos ter de pensar sobre isso – replicou o homenzinho. – Dê-me dois ou três dias para considerar o assunto e eu tentarei descobrir uma forma de fazê-la atravessar o deserto. Enquanto isso, vocês serão todos tratados como meus hóspedes, e durante o tempo em que viverem no Palácio, meu povo irá servi-los e obedecer a seu menor capricho. Há somente uma coisa que eu peço, em retorno por minha ajuda – por pequena que seja. Vocês devem manter meu segredo e não contar a ninguém que eu sou um impostor.

Eles concordaram em não dizer nada do que tinham ficado sabendo e voltaram para seus quartos cheios de entusiasmo. Até Dorothy tinha esperança de que "O Grande e Terrível Impostor", como ela agora o chamava, descobriria uma forma de enviá-la de volta para o Kansas. Se ele conseguisse, ela estava disposta a perdoar-lhe tudo.

Capítulo 16

Na manhã seguinte, o Espantalho disse a seus amigos:
— Vocês podem me dar os parabéns. Eu vou visitar Oz para receber finalmente o meu cérebro. Quando eu retornar, serei como são todos os outros homens.
— Eu sempre gostei de você do jeito que era – disse Dorothy, com simplicidade.
— É muito gentil de sua parte gostar de um Espantalho – replicou ele. – Mas sem a menor dúvida, você me terá em mais alta consideração quando escutar os esplêndidos pensamentos que meu cérebro irá produzir.
Deu adeus a todos, com uma voz alegre, e foi até a Sala do Trono, onde bateu à porta.
— Entre – disse Oz.
O Espantalho entrou e encontrou o homenzinho sentado junto à janela, imerso em profundos pensamentos.
— Eu vim buscar o meu cérebro – observou o Espantalho, pouco à vontade.
— Já sei, sente-se naquela cadeira, por favor – replicou Oz. – Você deve desculpar-me por retirar a sua cabeça, mas vou ter de fazer isso, para poder colocar seu cérebro no lugar adequado.
— Está tudo bem – disse o Espantalho. – Você pode perfeitamente retirar minha cabeça, desde que ela esteja melhor quando você a colocar de volta.

O Mágico desprendeu sua cabeça e retirou toda a palha. Então, entrou na salinha dos fundos e pegou uma medida de farelo, que ele tinha misturado com uma porção de alfinetes e agulhas. Depois de sacudi-los bem, ele encheu o alto da cabeça do Espantalho com a mistura e completou com palha, para conservá-la no lugar. Quando tinha prendido a cabeça do Espantalho novamente em seu corpo, ele lhe disse:

– A partir de agora, você será um grande homem, porque eu lhe dei um cérebro de farelo completamente novo.

O Espantalho ficou contente e ao mesmo tempo orgulhoso por ter sido satisfeito seu maior desejo, e tendo agradecido a Oz calorosamente, retornou para seus amigos.

Dorothy o contemplou com curiosidade. Sua cabeça parecia bem inchada de cérebro na parte superior.

– Como está se sentindo? – ela perguntou.

– Eu me sinto perfeitamente sábio – respondeu ele com seriedade. – Quando tiver me acostumado com meu cérebro, saberei todas as coisas.

– E porque você tem todas essas agulhas e alfinetes aparecendo ao redor de sua cabeça? – perguntou o Lenhador de Lata.

– Isso é prova de que ele tem um cérebro agudo – observou o Leão.

– Bem, eu tenho que ir até Oz para receber meu coração – disse o Lenhador, e caminhou até a Sala do Trono, batendo à porta.

– Entre – chamou Oz.

E o Lenhador entrou e disse:

– Vim buscar meu coração.

– Muito bem – respondeu o homenzinho. – Mas eu vou ter de abrir um buraco em seu peito para colocar o coração no lugar certo. Espero que não o machuque.

– Oh, não – respondeu o Lenhador. – Eu não vou sentir nada.

Oz trouxe uma tesoura de funileiro e cortou um buraco pequeno e quadrado do lado esquerdo do peito do Lenhador de Lata. Então, foi até uma cômoda e tirou um lindo coração, feito inteiramente de seda e estufado de serragem.

– Não é uma coisa linda? – perguntou.

– Sem a menor dúvida – replicou o Lenhador, que estava muito satisfeito. – Mas é um bom coração?

– Ah, é muito bom! – respondeu Oz. E pôs o coração no peito do Lenhador, e substituiu o quadrado de lata, soldando-o cuidadosamente no lugar de onde tinha sido cortado.

– Pronto – disse ele. – Agora você tem um coração do qual qualquer homem pode se orgulhar. Sinto muito por ter remendado o seu peito, mas realmente não havia outro jeito.

– Não se preocupe com o remendo – exclamou o feliz Lenhador. – Estou muito agradecido e nunca esquecerei de sua bondade.

– Não precisa me agradecer – replicou Oz.

O Lenhador de Lata voltou para seus amigos, que lhe desejaram todas as alegrias possíveis pela sua boa sorte.

Desta vez, o Leão caminhou para a Sala do Trono e bateu à porta.

– Entre – disse Oz.

– Eu vim buscar minha coragem – anunciou o Leão, entrando na sala.

– Muito bem – respondeu o homenzinho. – Vou buscar para você.

Ele foi até um armário e esticou-se para atingir uma prateleira alta, de onde retirou uma garrafa verde e quadrada, cujo conteúdo derramou em um pires verde-dourado e lindamente trabalhado. Colocou-o diante do Leão Covarde, que cheirou o líquido como se não gostasse muito. Disse o Mágico:

– Beba.

– Mas o que é? – perguntou o Leão.

– Bem – respondeu Oz –, se isso estivesse dentro de você, seria coragem. Você sabe, naturalmente, que a coragem está sempre dentro da gente. Assim, essa coisa não pode ser chamada de coragem até que você tenha engolido. Eu lhe aconselho a beber a poção, assim que for possível.

O Leão não hesitou mais e bebeu até que o pires ficou vazio.

– Como se sente agora? – perguntou Oz.

– Cheio de coragem – replicou o Leão, que voltou alegremente para junto de seus amigos a fim de contar-lhes sobre sua boa fortuna.

Oz, agora sozinho, sorriu ao pensar em seu sucesso ao dar ao Espantalho, e ao Lenhador e ao Leão exatamente as coisas que eles pensavam necessitar.

– Como eu posso deixar de ser um Impostor – disse ele –, quando essas pessoas me obrigam a fazer coisas que todo mundo sabe que não podem ser feitas? Foi fácil deixar o Espantalho, o Leão e o Lenhador felizes, porque eles imaginavam que eu podia fazer qualquer coisa. Mas vai ser necessária mais imaginação para levar Dorothy de volta ao Kansas, e tenho certeza de que não sei como fazer isso.

Capítulo 17

Por três dias, Dorothy não recebeu nenhuma notícia de Oz. Foram dias tristes para a garotinha, embora seus amigos estivessem felizes e contentes. O Espantalho disse-lhes que tinha pensamentos maravilhosos dentro de sua cabeça; mas ele não ia contar quais eram, porque sabia que ninguém poderia entendê-los, exceto ele próprio. Quando o Lenhador de Lata caminhava, sentia seu coração sacudindo dentro do peito; e disse a Dorothy ter descoberto que era um coração mais gentil e mais terno que o outro que possuíra, quando era feito de carne. O Leão declarou que não tinha mais medo de coisa alguma sobre a Terra, e que alegremente enfrentaria um exército de homens ou uma dúzia de ferozes Kalidás.

Cada membro do grupo estava satisfeito, salvo Dorothy, que ansiava mais do que nunca por voltar ao Kansas.

No quarto dia, para sua grande alegria, Oz mandou chamá-la, e quando ela entrou na Sala do Trono, ele disse de maneira agradável:

– Sente-se, minha querida. Eu acho que descobri a maneira de tirá-la deste país.

– De volta para o Kansas? – ela indagou, ansiosamente.

– Bem, não tenho certeza sobre Kansas – disse Oz –, pois eu não faço a menor ideia de que lado fica o Kansas. Mas a primeira coisa a fazer é cruzar o deserto, e então será fácil achar seu caminho até em casa.

– E como eu posso cruzar o deserto? – ela inquiriu.

– Bem, eu vou lhe dizer o que penso – falou o homenzinho. – Você vê, quando eu cheguei a este país, vim de balão. Você também veio pelo ar, sendo carregada por um ciclone. Eu acredito que a melhor maneira de atravessar o deserto será pelo ar. Ora, está totalmente além de meus poderes fabricar um ciclone. Mas eu estive pensando no assunto e acho que posso fazer um balão.

– Como? – perguntou Dorothy.

– Um balão – disse Oz – é feito de seda, que é recoberta de cola para manter o gás no seu interior. Eu tenho quantidade de seda no Palácio, não será difícil fazer o balão. Só que em todo este país não há gás suficiente para enchê-lo, a fim de que ele flutue.

– Se não vai flutuar – observou Dorothy –, então não vai nos servir para nada.

– É verdade – respondeu Oz. – Mas existe outra maneira de fazê-lo flutuar, é enchendo de ar quente. O ar quente não é tão bom quanto o gás, porque se esfriar, o balão cairá no deserto e nós estaremos perdidos.

– Nós!? – exclamou a menina. – Então você vai comigo?

– Sim, naturalmente – replicou Oz. – Estou cansado de ser um charlatão. Se eu sair deste Palácio, meu povo logo descobrirá que eu não sou um Mágico, e então vão se aborrecer comigo por tê-los enganado por todo esse tempo. E aí eu tenho de permanecer encerrado nestas salas todo o dia e já estou cansado. Preferiria muitíssimo voltar para o Kansas com você e ir de novo trabalhar em um circo.

– Gostarei muito de ter sua companhia – disse Dorothy.

– Muito obrigado – respondeu ele. – E agora, se você me ajudar a costurar a seda, vamos começar a trabalhar em nosso balão.

Dorothy pegou agulha e linha e tão depressa quanto Oz podia cortar as faixas de seda no formato adequado, a menina as costurou com todo o capricho. Primeiro vinha uma faixa de seda verde-clara, então uma faixa de verde-escuro, e então uma faixa de verde-esmeralda, porque Oz gostava de fazer balões com diferentes tonalidades de cores.

Levaram três dias para costurar todas as faixas, mas quando terminaram, tinham um grande saco de seda verde com mais de seis metros de comprimento.

Oz pintou por dentro uma camada de cola fina, para que o ar não saísse, depois do que ele anunciou que o balão estava pronto.

– Mas nós precisamos de um cesto para viajar – disse ele. E mandou o soldado de barbas verdes ir buscar um grande cesto de roupa, que ele amarrou com muitas cordas na parte inferior do balão.

Quando tudo estava pronto, Oz mandou comunicar ao povo que ia fazer uma visita a um grande irmão Mágico que morava nas nuvens. A notícia espalhou-se rapidamente através da cidade e todos vieram assistir ao maravilhoso acontecimento.

Oz ordenou que o balão fosse carregado para a frente do Palácio e as pessoas ficaram olhando com muita curiosidade. O Lenhador de Lata tinha cortado uma grande pilha de lenha e fez uma fogueira, Oz colocou a parte de baixo do balão sobre o fogo de tal modo que o ar quente subindo da fogueira fosse captado pelo saco de seda. Gradualmente, o balão foi enchendo e erguendo-se no ar, até que finalmente o cesto apenas tocava o chão.

Então, Oz entrou no cesto e disse a todas as pessoas com uma voz estentória:

– Agora vou fazer uma visita. Enquanto eu estiver longe, o Espantalho irá governá-los. Eu ordeno que obedeçam a ele, do mesmo modo que a mim.

Nesse ponto, o balão estava puxando forte a corda que o prendia a solo, porque o ar dentro dele estava quente e isto deixava-o tão mais leve que o ar de fora, que ele puxava com força para subir para o céu.

– Venha, Dorothy! – gritou o Mágico. – Apure, senão o balão vai voar para longe!

– Eu não consigo encontrar Totó em parte alguma – replicou Dorothy, que não queria deixar o cachorrinho para trás. Totó tinha corrido para o meio da multidão latindo atrás de um gatinho e Dorothy finalmente o encontrou. Ela segurou-o nos braços e correu em direção ao balão.

Faltavam só alguns passos para alcançá-lo, Oz já estava estendendo suas mãos para ajudá-la a entrar no cesto, quando a corda rebentou com um estalo e o balão ergueu-se no ar sem ela.

– Volte! – ela gritou. – Eu quero ir também!

– Eu não posso voltar, minha querida – gritou Oz, de dentro do cesto. – Adeus!

– Adeus! – gritaram todos, e voltaram os olhos para cima, onde o Mágico estava em pé dentro do cesto, subindo a cada momento mais e mais alto no céu.

E esta foi a última vez que qualquer um deles avistou Oz, o Maravilhoso Mágico, embora ele possa ter chegado a Omaha em segurança. Tanto quanto sabemos, ele pode estar lá agora.

Mas o povo lembrava-se dele com amor, e diziam uns aos outros:

– Oz sempre foi nosso amigo. Quando ele estava aqui, construiu esta linda Cidade das Esmeraldas, e agora que partiu, deixou o Sábio Espantalho para nos governar.

Ainda assim, por muitos dias lamentaram a perda do Maravilhoso Mágico e nada podia confortá-los.

Capítulo 18

Dorothy chorou amargamente por ter perdido as esperanças de ir para casa no Kansas. Mas quando pensou uma segunda vez, ficou contente por não ter subido no balão. E também ficou com pena de perder Oz, como todos os seus companheiros.

O Lenhador de Lata veio até ela e disse:
– Eu realmente seria ingrato se não sentisse falta do homem que me deu este lindo coração. Gostaria de chorar um pouquinho pela partida de Oz, desde que você faça a gentileza de secar minhas lágrimas, para que eu não enferruje.

– Com prazer – respondeu ela –, e foi logo buscar uma toalha. Então o Lenhador de Lata chorou por vários minutos e ela observou as lágrimas com cuidado e secou-as todas com a toalha. Quando ele tinha acabado, agradeceu-lhe gentilmente e azeitou-se todo com sua lata de óleo coberta de joias, a fim de evitar possíveis problemas.

O Espantalho era agora o governante da Cidade das Esmeraldas, e embora não fosse um Mágico, o povo tinha orgulho dele.

– Porque – diziam todos – não existe outra cidade em todo o mundo que seja governada por um homem empalhado. – E pelo que sei, tinham toda a razão.

Na manhã seguinte à subida do balão com Oz, os quatro viajantes se reuniram na Sala do Trono para se aconselhar. O Espantalho sentou-se no grande trono e os outros ficaram parados respeitosamente diante dele.

– Não se pode dizer que não tivemos sorte – disse o novo governante. – Este Palácio e a Cidade das Esmeraldas agora nos pertencem e podemos fazer o que quisermos. Quando eu me lembro que pouco tempo atrás eu estava pendurado em um poste no milharal de um fazendeiro e que agora sou o governante desta linda Cidade, fico totalmente satisfeito com minha sorte.

– Eu também – disse o Lenhador de Lata. – Estou plenamente satisfeito com meu novo coração. Realmente, era a única coisa que desejava no mundo.

– Da minha parte, estou contente de saber que sou tão valente quanto qualquer animal que já viveu, se não for o mais bravo – disse o Leão, modestamente.

– Se ao menos Dorothy se contentasse em viver na Cidade das Esmeraldas – continuou o Espantalho –, poderíamos ser todos felizes juntos.

– Mas eu não quero morar aqui – chorou Dorothy. – Quero ir para o Kansas e viver com Tia Emily e com Tio Henry.

– Bem, então o que poderemos fazer? – inquiriu o Lenhador.

O Espantalho resolveu pensar, e pensou tanto que os alfinetes e agulhas começaram a sair para fora de seu cérebro.

Finalmente, disse:

– Por que não chamar os Macacos Alados e pedir-lhes que a carreguem através do deserto?

– Como é que eu nunca pensei nisso antes! – disse Dorothy, alegremente. – É claro! Vou agora mesmo pegar o Barrete Dourado.

Quando voltou à Sala do Trono com o Barrete,

falou as palavras mágicas e logo o bando de Macacos Alados entrou pelas janelas abertas e parou diante dela.

– Esta é a segunda vez que você nos chama – disse o Rei dos Macacos, curvando-se diante da menininha. – O que você deseja?

– Quero que vocês me levem voando para o Kansas – disse Dorothy.

Mas o Rei dos Macacos sacudiu a cabeça.

– Isso não pode ser feito – disse ele. – Nós pertencemos apenas a este país e não podemos sair dele. Até hoje nunca houve um Macaco Alado no Kansas, e suponho que nunca vai haver, porque nós não somos de lá. Teremos prazer em servi-la de qualquer maneira que esteja ao nosso alcance, mas não podemos cruzar o deserto. Adeus.

E com outra reverência, o Rei dos Macacos abriu suas asas e voou para longe através da janela, seguido de todo o seu bando.

Dorothy quase chorou de desapontamento.

– Desperdicei o encanto do Barrete Dourado – disse ela –, os Macacos Alados não podem me ajudar.

– Sem a menor dúvida, foi uma pena! – disse o Lenhador, cujo coração era bondoso.

O Espantalho estava pensando de novo e sua cabeça começou a inchar de tal maneira que Dorothy ficou com medo que rebentasse.

– Vamos chamar o soldado de barbas verdes – disse ele – e pedir seu conselho.

Assim, o soldado foi convocado e entrou na Sala do Trono muito timidamente, porque enquanto Oz estivera lá, nunca lhe fora permitido passar além da porta.

— Esta menininha — disse o Espantalho para o soldado — quer atravessar o deserto. Como poderá fazer isso?

— Não sei dizer — respondeu o soldado —, porque ninguém jamais atravessou o deserto, a não ser o próprio Oz.

— Será que não há ninguém que possa me ajudar? — perguntou Dorothy, com seriedade.

— Glinda talvez possa — sugeriu ele.

— Quem é Glinda? — inquiriu o Espantalho.

— A Bruxa do Sul. Ela é a mais poderosa de todas as Bruxas e é a governante dos Quadlings. Além disso, seu castelo fica à beira do deserto, assim ela pode conhecer uma forma de atravessá-lo.

— Glinda é uma Bruxa boa, não é? — perguntou a criança.

— Os Quadlings acham que ela é boa — disse o soldado —, e ela é gentil com todos. Eu ouvi dizer que Glinda é uma mulher de grande beleza, que sabe manter-se jovem apesar de todos os anos que viveu.

— Como posso chegar a seu castelo? — perguntou Dorothy.

— A estrada vai reto para o Sul — respondeu ele —, mas dizem que está cheia de perigos para os viajantes. Há feras selvagens nos bosques e uma raça de homens engraçados que não gostam que forasteiros atravessem suas terras. Por esta razão, nenhum dos Quadlings jamais veio à Cidade das Esmeraldas.

O soldado então os deixou e o Espantalho disse:

— Parece que, a despeito dos perigos, a melhor coisa que Dorothy pode fazer é viajar até a Terra do Sul e pedir a Glinda para ajudá-la. Naturalmente, se Dorothy ficar aqui, ela nunca vai voltar para o Kansas.

– Você deve ter estado pensando de novo – observou o Lenhador de Lata.

– De fato – disse o Espantalho.

– Eu irei com Dorothy – declarou o Leão –, porque já estou cansado de sua cidade e anseio pelos bosques e pelas pradarias de novo. Na realidade, sou um animal selvagem, vocês sabem. Além disso, Dorothy vai precisar de alguém para protegê-la.

– Isso é verdade – concordou o Lenhador. – Meu machado pode prestar-lhe serviços, e assim também eu irei com ela para a Terra do Sul.

– E quando partiremos? – perguntou o Espantalho.

– Você vai também? – perguntaram eles, surpresos.

– Mas é claro. Se não fosse por Dorothy, eu nunca teria recebido o meu cérebro. Foi ela que me tirou do poste no milharal e me trouxe até a Cidade das Esmeraldas. Toda a minha sorte eu devo a ela e não a abandonarei até que ela finalmente retorne ao Kansas.

– Muito obrigada – disse Dorothy, com gratidão. – Todos vocês são muito bons para mim. Mas eu gostaria de começar a jornada o mais breve possível.

– Partiremos amanhã de manhã – retornou o Espantalho. – Agora, vamos todos nos preparar, porque será uma longa jornada.

Capítulo 19

Na manhã seguinte, Dorothy deu um beijo de adeus na linda moça verde e todos apertaram a mão do soldado de barbas verdes, que tinha caminhado com eles até o portão da cidade. Quando o Guardião dos Portões os viu outra vez, ficou extremamente surpreendido por eles serem capazes de deixar a linda Cidade para arranjar novas complicações. Mas, sem demora, destrancou seus óculos, que colocou de volta na caixa verde, e desejou-lhes seus melhores votos.

– Você agora é nosso governante – disse ele ao Espantalho. – Deve retornar o mais breve que lhe for possível.

– Certamente o farei, assim que puder – replicou o Espantalho. – Mas devo primeiro ajudar Dorothy a voltar para casa.

Quando Dorothy deu um último adeus ao Guardião tão delicado, ela lhe disse:

– Eu fui muito bem tratada em sua linda cidade e todos foram bons para mim. Não posso lhe expressar toda a minha gratidão.

– Nem tente, minha querida – respondeu ele. – Nós gostaríamos de mantê-la aqui conosco, mas se o seu desejo é retornar ao Kansas, espero que descubra o caminho.

Então, abriu o portão da parede externa e eles saíram para iniciar sua nova jornada.

O sol brilhava com força, enquanto nossos amigos voltavam seus rostos para a Terra do Sul. Estavam todos cheios de entusiasmo, riam e conversavam ao mesmo tempo. Dorothy estava novamente cheia de esperança de chegar em casa e o Espantalho e o Lenhador de Lata estavam contentes por poderem servi-la. Quanto ao Leão, ele cheirava o ar fresco com prazer e balançava a cauda de um lado para o outro por pura alegria de estar ao ar livre novamente, enquanto Totó corria em volta deles e perseguia as mariposas e borboletas, latindo alegremente todo o tempo.

– A vida na cidade não é boa para mim nem um pouquinho – observou o Leão, enquanto eles marchavam juntos a passo rápido. – Perdi muito peso enquanto morava lá e agora estou ansioso por uma oportunidade de demonstrar às outras feras como me tornei corajoso.

Eles se voltaram e deram uma última olhada para a Cidade das Esmeraldas. Tudo o que podiam ver era uma massa de torres e espiras por trás das muralhas verdes e, bem acima de todas, as espiras e o domo do Palácio de Oz.

– No fim das contas, Oz não era um Mágico tão mau assim – disse o Lenhador de Lata, sentindo seu coração sacolejando dentro do peito.

– Ele sabia como dar um cérebro e foi realmente um cérebro muito bom – disse o Espantalho.

– Se Oz tivesse tomado uma dose da mesma coragem que me deu – acrescentou o Leão –, teria sido um homem muito corajoso.

Dorothy não disse nada. Oz não tinha cumprido a promessa que lhe fizera, mas tinha feito o melhor que podia, por isso ela o perdoou. Como ele tinha dito, era um homem bom, mesmo que fosse um mau Mágico.

A viagem do primeiro dia passava através dos campos verdes e das flores magníficas que se estendiam ao redor da Cidade das Esmeraldas. Eles dormiram na grama essa noite e somente as estrelas os cobriam; descansaram realmente muito bem.

De manhã, continuaram a viagem, até que chegaram a uma mata espessa. Não havia maneira de fazer a volta, porque parecia continuar para a direita e para a esquerda até onde podiam ver; e, além disso, eles não ousavam mudar a direção de sua jornada por medo de se perderem. Procuraram então o lugar mais fácil para entrar na floresta.

O Espantalho, que ia na frente, descobriu uma árvore grande com ramos que se espalhavam de tal maneira que havia espaço para o grupo passar por baixo. Ele avançou para ela, mas logo que chegou embaixo dos primeiros galhos, estes se inclinaram e se enroscaram em torno dele. No minuto seguinte, ele foi erguido do solo e lançado de cabeça para baixo entre seus companheiros.

Isso não machucou em nada o Espantalho, mas ele ficou surpreendido, e quando Dorothy o levantou, parecia bastante tonto.

– Aqui há outro espaço entre as árvores – chamou o Leão.

– Deixe-me tentar primeiro – disse o Espantalho –, porque se me jogarem de novo, não vou me ferir.

Caminhou até a outra árvore, enquanto falava, mas os galhos imediatamente o apanharam e o jogaram de volta outra vez.

– Que coisa mais estranha! – exclamou Dorothy. – O que vamos fazer?

– Parece que as árvores resolveram nos combater e impedir a nossa passagem – observou o Leão.

– Acho melhor eu mesmo tentar – disse o Lenhador.

Colocando ao ombro seu machado, ele marchou até a primeira árvore que tinha maltratado o Espantalho. Quando um grande galho se inclinou para pegá-lo, o Lenhador bateu nele com o machado com tanta força que o cortou em dois. Imediatamente a árvore começou a sacudir todos os seus galhos como se estivesse sofrendo e o Lenhador de Lata passou em segurança por baixo dela.

– Vamos! – gritou para os outros. – Rápido!

Todos correram para a frente e passaram por baixo da árvore sem serem molestados, exceto Totó, que foi capturado por um galho pequeno e sacudido até que uivou. O Lenhador prontamente cortou fora o galho e libertou o cachorrinho.

As outras árvores da floresta não fizeram nada para impedir a sua passagem, e eles perceberam que somente a primeira fileira de árvores era capaz de dobrar seus galhos. Provavelmente eram os policiais da floresta e haviam recebido este maravilhoso poder a fim de manter os estranhos fora dela.

Os quatro viajantes caminharam com facilidade através das árvores, até que chegaram ao outro lado da floresta. Para sua surpresa, encontraram diante deles uma parede alta que parecia ter sido feita de porcelana branca. Era lisa como a superfície de um prato e mais alta que suas cabeças.

– Que faremos agora? – perguntou Dorothy.

– Vou fazer uma escada – disse o Lenhador –, pois certamente teremos de passar por cima da parede.

Capítulo 20

Enquanto o Lenhador fabricava uma escada com madeira morta que encontrou na floresta, Dorothy deitou-se e dormiu, porque estava cansada por ter caminhado tanto. O Leão também se enroscou para dormir, e Totó deitou-se ao seu lado.

O Espantalho ficou olhando o Lenhador enquanto este trabalhava e disse-lhe:

– Não entendo por que esta parede está aqui nem do que é feita.

– Descanse seu cérebro e não se preocupe com a parede – replicou o Lenhador. – Quando tivermos passado por cima dela, veremos o que há do outro lado.

Depois de algum tempo, a escada foi terminada. Parecia meio desengonçada, mas o Lenhador de Lata tinha certeza de que era forte e serviria a seu propósito. O Espantalho acordou Dorothy, o Leão e Totó e disse-lhes que a escada estava pronta. O Espantalho trepou pela escada primeiro, mas era tão desajeitado que Dorothy teve de seguir logo atrás dele, para evitar que caísse.

Quando sua cabeça passou por cima do alto da parede, o Espantalho disse:

– Ora vejam só!

– Continue – exclamou Dorothy.

O Espantalho subiu mais alto e sentou-se em cima da parede. Dorothy passou a cabeça por cima e gritou:

– Ora vejam só! – do mesmo jeito que o Espantalho tinha feito.

Então Totó subiu e imediatamente começou a latir, mas Dorothy fez com que se calasse. O Leão subiu a escada a seguir e o Lenhador de Lata foi o último. Mas eles dois também disseram:

– Ora vejam só! – assim que olharam por cima da parede. Então todos sentaram-se em uma fila no alto da parede e olharam para baixo para contemplar uma estranha visão.

Diante deles, havia uma grande extensão de terra, cujo chão era tão liso, brilhante e branco como o fundo de uma grande travessa. Espalhadas aqui e ali, apareciam muitas casas feitas inteiramente de porcelana e pintadas nas cores mais vivas. Eram casinhas bem pequenas. As maiores delas só chegavam à cintura de Dorothy. Havia também lindas fazendolas, com cercas de porcelana ao redor; e muitas vacas, e ovelhas, e cavalos, e porcos e galinhas, todos feitos de porcelana.

Mas o mais engraçado de tudo eram as pessoas que moravam neste estranho país. Havia moças que tiravam leite e pastorinhas, com blusas de cores vibrantes e saias pontilhadas de dourado; e princesas, com os vestidos mais lindos de prata, ouro e púrpura; e pastores de calções que chegavam até os joelhos, listrados de cor-de-rosa, amarelo e azul que desciam até embaixo e fivelas douradas em seus sapatos; e príncipes com coroas cheias de joias em suas cabeças, usando mantos de arminho e gibões de cetim; e palhaços engraçados com roupas largas e cheias de dobras, com círculos vermelhos nas faces e chapéus altos e pontudos.

O mais estranho era que todas estas pessoas eram feitas de porcelana, mesmo suas roupas, e além disso, eram tão pequenas que a mais alta delas não chegava ao joelho de Dorothy.

A princípio, nenhum deles sequer se deu ao trabalho de olhar para os viajantes, exceto um cachorrinho de porcelana com uma cabeça muito grande, que veio até a parede e latiu para eles com uma voz fraquinha, depois do que saiu correndo para longe.

– E como vamos descer? – perguntou Dorothy.

Eles descobriram que a escada era tão pesada, que não podiam puxá-la para cima. Então, o Espantalho saltou da parede e os outros pularam em cima dele, para que o chão duro não lhes machucasse os pés. Naturalmente, tiveram todo o cuidado para não cair em cima de sua cabeça, porque aí os alfinetes se cravariam em seus pés.

Quando todos tinham descido em segurança, levantaram o Espantalho, cujo corpo tinha ficado todo achatado, e deram-lhe tapinhas até que a palha reassumisse a forma anterior.

– Temos que atravessar este lugar estranho para chegar ao outro lado – disse Dorothy. – Não nos convém tomar qualquer direção que não seja o Sul.

Começaram a caminhar através da terra da gente de porcelana e a primeira coisa que encontraram foi uma camponesa de porcelana tirando leite de uma vaca de porcelana. Assim que chegaram perto, a vaca deu um coice e derrubou o banquinho com a camponesa, e todos caíram no chão de porcelana com um grande estrondo.

Dorothy levou um choque ao ver que a vaquinha tinha quebrado sua pata e que o balde estava caído, feito em vários pedaços, ao mesmo tempo que a pobre camponesa tinha ficado com o cotovelo lascado.

– Vejam só! – gritou a camponesa, furiosa. – Vejam o que vocês fizeram! Minha vaca quebrou a perna e eu tenho de levá-la à oficina de consertos para que seja colada de volta. O que vocês querem aqui, assustando minha vaca?

– Eu lamento muito – respondeu Dorothy. – Por favor, nos perdoe.

Mas a bonita camponesa estava aborrecida demais para responder. Ela apanhou a perna, amuada, e conduziu sua vaca para longe, enquanto o pobre animal manquejava em três pernas. Enquanto ia embora, a camponesa lançou olhares de reprovação por sobre o ombro em direção aos forasteiros desajeitados, mantendo seu cotovelo lascado perto do peito.

Dorothy ficou muito aborrecida com esta desventura.

– Devemos ter muito cuidado por aqui – disse o Lenhador de bom coração –, caso contrário, podemos machucar esse povinho lindo de tal maneira que não vão poder se recuperar.

Um pouco mais além, Dorothy encontrou uma jovem princesa lindamente vestida, que parou de repente quando viu os estrangeiros e começou a fugir.

Dorothy queria ver um pouco mais a Princesa, então correu atrás dela. A menina de porcelana gritou:

– Não me persiga! Não me persiga!

Ela tinha uma vozinha tão assustada, que Dorothy parou e disse:

– Por que não?

– Porque – respondeu a Princesa, parando também a uma distância segura – se eu correr, posso cair e me quebrar.

– Mas você não pode ser colada? – perguntou a menina.

– Claro que sim, mas depois de ter sido colada, a gente não fica mais tão bonita quanto antes – replicou a Princesa.

– É, acho que não – disse Dorothy.

– Veja, por exemplo, o Sr. Joker, um de nossos palhaços – continuou a dama de porcelana. – Ele está sempre tentando ficar de cabeça para baixo. Já se quebrou tantas vezes que está colado em mais de cem lugares, e não ficou nem um pouquinho bonito. Olhe, ele está chegando e você mesma pode ver.

Sem dúvida, um palhacinho alegre veio caminhando em sua direção e Dorothy pôde observar que, apesar das lindas roupas vermelhas, amarelas e verdes, ele estava completamente coberto de rachaduras, que corriam para todos os lados de seu corpinho e mostravam claramente que ele tinha sido consertado muitas vezes.

O Palhaço colocou as mãos nos bolsos e, depois de encher de ar as bochechas e mover sua cabeça para elas com atrevimento, disse:

Minha bela senhora,
Por que para e olha
Para o pobre e velho Sr. Joker?
Você está tão retesada
E tão empertigada,
Como se tivesse engolido um espeto!

– Fique quieto, senhor! – disse a Princesa. – Não vê que são forasteiros e devem ser tratados com o devido respeito?

– Bem, eu respeito do meu jeito – declarou o Palhaço, e imediatamente ficou de cabeça para baixo.

– Não deem importância ao Sr. Joker – disse a Princesa a Dorothy. – Ele já quebrou a cabeça tantas vezes que ficou meio abobado.

– Ora, eu não me importo nem um pouquinho – disse Dorothy. – Mas você é tão linda – continuou – que tenho certeza de que poderia amá-la profundamente. Não quer deixar que a leve comigo de volta para o Kansas, para colocá-la em cima da lareira de Tia Emily? Eu poderia levá-la em minha cesta.

– Isso me deixaria imensamente infeliz – respondeu a Princesa de porcelana. – Você vê, aqui em nosso país, nós vivemos em plena felicidade, e podemos conversar e andar por onde quisermos. Mas sempre que um de nós é levado para fora, imediatamente nossas articulações endurecem e só podemos ficar parados exibindo a nossa beleza. É claro que é isso que se deseja de nós quando nos colocam em cima de lareiras, dentro de armários ou sobre mesinhas da sala de visitas, mas nossas vidas são muito mais agradáveis aqui em nossa própria terra.

– Eu não a deixaria infeliz por nada deste mundo! – exclamou Dorothy. – Então vou apenas dizer adeus!

– Adeus! – replicou a Princesa.

Eles caminharam com o maior cuidado através do país de porcelana. Os animaizinhos e todas as pessoas fugiam em todas as direções, com medo que os forasteiros os quebrassem. Depois de uma hora e pouco, os viajantes chegaram ao outro lado do pequeno país e encontraram outra parede de porcelana.

Esta não era tão alta quanto a outra, no entanto, e subindo nas costas do Leão, todos conseguiram chegar até o topo. Então o Leão encolheu suas pernas e pulou por cima da parede. Na hora em que pulou, sua cauda derrubou uma igrejinha de porcelana, que se quebrou em mil pedaços.

– É uma pena – disse Dorothy –, mas acho que tivemos muita sorte por não fazermos mais mal a essas criaturinhas do que quebrar a perna de uma vaca e uma igreja. Eles são todos tão frágeis!

– Realmente, são – disse o Espantalho. – Sinto-me grato por ser feito de palha e não poder ser facilmente danificado. Há coisas piores no mundo que ser um Espantalho.

Capítulo 21

Depois de descerem da parede de porcelana, os viajantes se acharam em uma terra desagradável, cheia de pântanos e atoleiros e coberta de um capim alto e duro. Era difícil de caminhar sem cair em buracos enlameados, porque o capim era tão fechado que não se podia ver os buracos. Todavia, tendo escolhido cuidadosamente seu caminho, eles prosseguiram em segurança, até que chegaram a um terreno mais sólido. Só que o terreno parecia ainda mais selvagem do que antes e, após uma caminhada longa e cansativa através do mato rasteiro, entraram em outra floresta, em que as árvores eram mais altas e mais velhas que quaisquer outras que já tinham visto.

– Esta floresta é perfeita – declarou o Leão, olhando ao redor com alegria. – Eu nunca vi um lugar mais bonito!

– Parece meio escura – disse o Espantalho.

– Mas nem um pouquinho – respondeu o Leão. – Eu gostaria de viver aqui toda a minha vida. Veja como as folhas secas são macias debaixo de seus pés e como o musgo que se prende a essas velhas árvores é verde e exuberante. Sem dúvida, nenhum animal selvagem poderia desejar um lar mais agradável.

– Pode ser que já existam animais selvagens na floresta – disse Dorothy.

– Suponho que sim – retornou o Leão –, mas, por enquanto, não vejo nenhum.

Caminharam através da floresta até que ficou escuro demais para prosseguir. Dorothy, Totó e o Leão deitaram-se para dormir, enquanto o Lenhador e o Espantalho mantinham guarda, como sempre.

Quando chegou a manhã, eles reiniciaram o caminho. Antes de irem muito longe, escutaram um ruído grave e baixo, como se fossem os roncos de muitos animais. Totó choramingou um pouquinho, mas nenhum dos outros se assustou, e seguiram ao longo do caminho bem marcado, até chegarem a uma clareira na floresta em que estavam reunidas centenas de feras de todos os tipos. Havia tigres, e elefantes, e ursos, e lobos, e raposas e todos os outros bichos que estão no livro de zoologia, e por um momento Dorothy ficou com medo. Mas o Leão explicou que os animais estavam reunidos em assembleia e, a julgar por seus roncos e rugidos, estavam em grande dificuldade.

Assim que ele falou, diversos animais o avistaram e imediatamente o grande conclave calou-se, como por mágica. O maior dos tigres chegou até o Leão e fez uma curvatura, dizendo:

– Bem-vindo, ó, Rei dos Animais! Vossa Majestade chegou na ocasião certa para combater nosso inimigo e trazer de novo a paz para todos os animais da floresta.

– Qual é seu problema? – perguntou o Leão, tranquilamente.

– Todos estamos ameaçados – respondeu o tigre – por um feroz inimigo que há pouco tempo chegou a esta floresta. É um monstro imenso, como uma grande aranha, com um corpo tão grande como o de um elefante e pernas tão compridas como o tronco de uma árvore. Ele tem oito pernas e se arrasta pela floresta, e assim que encontra um animal, agarra-o com uma das pernas e leva à boca, devorando-o como uma aranha devora uma mosca. Nenhum de nós estará seguro enquanto esta feroz criatura estiver viva e assim realizamos esta reunião para decidir o que fazer e por sorte Vossa Majestade chegou.

O Leão pensou por um momento.

– Existem outros leões nesta floresta? – quis saber.

– Não. Havia alguns, mas o monstro comeu todos. Além disso, nenhum deles era de longe tão grande e tão corajoso como Vossa Majestade.

– Se eu der cabo de seu inimigo, vocês se curvarão perante mim e me obedecerão como o Rei da Floresta? – inquiriu o Leão.

– Nós o faremos com alegria – replicou o tigre. E todos os outros animais responderam com um poderoso rugido:

– Nós obedeceremos!

– E onde se encontra essa sua grande aranha agora? – perguntou o Leão.

– Ali adiante, entre os carvalhos – disse o tigre, apontando com a pata dianteira.

– Então cuidem bem de meus amigos – disse o Leão. – Eu irei imediatamente combater o monstro.

Ele deu adeus a seus camaradas e marchou orgulhosamente para dar batalha ao inimigo. A grande aranha estava adormecida quando o Leão a encontrou, e era tão feia que seu adversário franziu o nariz de nojo. Suas pernas eram realmente tão compridas quanto o tigre havia dito, e seu corpo era coberto de pelo negro e grosseiro. Tinha uma enorme boca, com uma fileira de dentes pontiagudos, com trinta centímetros cada um. Sua cabeça se juntava ao corpo rechonchudo por um pescoço tão fino como a cintura de uma vespa. O

Leão pensou na melhor maneira de atacar a criatura. Vendo que era mais fácil combatê-la dormindo que acordada, deu um grande salto e caiu diretamente sobre as costas do monstro. Então, com um único golpe de sua pata pesada, armada de garras agudas, arrancou a cabeça da aranha de seu corpo. Pulando para o chão, ficou cuidando até que as longas pernas pararam de estrebuchar, e então teve certeza de que a aranha estava completamente morta.

O Leão retornou à clareira em que as feras da floresta o estavam esperando e disse, orgulhosamente:

– Não precisam mais temer seu inimigo.

As feras se curvaram perante o Leão como seu Rei e ele prometeu voltar e governá-los assim que Dorothy estivesse em segurança a caminho do Kansas.

Capítulo 22

Os quatro viajantes passaram através do resto da floresta em segurança; e quando saíram da escuridão, viram diante deles uma colina íngreme, coberta de grandes pedaços de pedra.

– Essa subida vai ser difícil – disse o Espantalho.
– Entretanto, temos de passar por ela.

Ele foi à frente e os outros o seguiram. Recém tinham chegado à primeira grande pedra, quando uma voz áspera gritou:

– Retornem!
– Quem é você? – perguntou o Espantalho.

Uma cabeça apareceu por cima da pedra e a mesma voz disse:

– Esta colina nos pertence e não permitiremos a ninguém atravessá-la.

– Mas nós temos de passar – disse o Espantalho.
– Nós vamos ao país dos Quadlings.

– Não passarão! – replicou a voz. E de trás da rocha saiu o homem mais estranho que os viajantes já haviam visto.

Ele era bem baixinho e robusto e tinha uma cabeça grande, chata na parte de cima e sustentada por um pescoço grosso cheio de rugas. Só que ele não tinha braços, e ao ver isto, o Espantalho não temeu que uma criatura assim pudesse impedi-los de subir a colina. Assim, disse:

– Lamento muito não poder fazer a sua vontade, temos passar pela colina quer você queira, quer não.

E caminhou audazmente para frente.

Rápido como um relâmpago, a cabeça do homem lançou-se para a frente e seu pescoço se esticou até que o topo de sua cabeça, que era chato, bateu no Espantalho bem no meio do corpo e o lançou de volta dando cambalhotas até o sopé da colina. Quase tão rapidamente como tinha saído, a cabeça voltou para o corpo e o homem riu grosseiramente, dizendo:

– Não é tão fácil como você pensa!

Um coro de risos violentos veio das outras rochas e Dorothy viu centenas de Cabeças de Martelo sem braços espalhados por toda a colina, cada um atrás de uma rocha.

O Leão ficou muito zangado com o riso provocado pela desgraça do Espantalho, e dando um forte rugido, que ecoou como trovão, lançou-se colina acima.

Novamente uma cabeça lançou-se velozmente para fora e o grande Leão rolou colina abaixo como se tivesse sido atingido por uma bala de canhão.

Dorothy desceu a colina para ajudar o Espantalho a se erguer. O Leão foi até eles, todo machucado e doído, e disse:

– É inútil combater pessoas cujas cabeças saltam; ninguém pode resistir-lhes.

– O que poderemos fazer, então? – ela perguntou.

– Chamar os Macacos Alados – sugeriu o Lenhador de Lata. – Você ainda tem o direito de comandá-los mais uma vez.

– Pois bem – ela respondeu –, e colocando o Barrete Dourado, proferiu as palavras mágicas. Os Macacos Alados chegaram com a mesma presteza de sempre e em poucos momentos o bando inteiro estava diante dela.

– Quais são seus comandos? – inquiriu o Rei dos Macacos, com uma profunda curvatura.

– Carreguem-nos por cima da colina até a terra dos Quadlings – respondeu a menina.

– Assim será feito! – disse o Rei. Imediatamente, os Macacos Alados apanharam os quatro viajantes e Totó em seus braços e voaram com eles. Quando passaram por cima da colina, os Cabeças de Martelo gritaram de raiva e lançaram suas cabeças bem alto no ar, porém não conseguiram chegar até os Macacos Alados, que carregaram Dorothy e seus camaradas em segurança por cima da colina e os depositaram no belo país dos Quadlings.

– Esta é a última vez que você pode nos convocar – disse o líder a Dorothy – portanto, adeus e boa sorte para vocês.

– Adeus e muito obrigada – respondeu a menina. E os Macacos Alados se ergueram no ar e saíram de vista em um piscar de olhos.

A terra dos Quadlings era rica e feliz. Campo após campo de grãos maduros, e estradas bem pavimentadas correndo através deles. Lindos regatos murmurejantes atravessados por pontes. As cercas, as casas e as pontes eram todas pintadas de um vermelho vibrante, do mesmo modo que tinham sido pintadas de amarelo na terra dos Winkies e de azul no país dos Munchkins. Os próprios Quadlings, que eram baixos, gordos e bem-dispostos, estavam todos vestidos de vermelho, que se destacava brilhante contra o capim verde e as hastes amarelas dos cereais.

Os Macacos Alados os tinham deixado perto de uma sede de fazenda, e os quatro viajantes caminharam até chegar a ela e bateram à porta. Esta foi aberta pela mulher do fazendeiro, e quando Dorothy pediu alguma coisa para comer, a mulher serviu a todos um bom jantar, com três tipos de bolo e quatro tipos de biscoitos e uma tigela de leite para Totó.

– A que distância fica o Castelo de Glinda? – perguntou a criança.

– Não fica muito longe – respondeu a esposa do fazendeiro. – Peguem a estrada que vai para o Sul e logo vocês chegarão lá.

Agradecendo à boa mulher, eles recomeçaram a jornada e caminharam através dos campos, passando sobre as bonitas pontes, até que viram diante deles um castelo muito belo. Diante dos portões, estavam três mulheres jovens, vestidas em lindos uniformes vermelhos, enfeitados de galões dourados.

Assim que Dorothy se aproximou, uma delas lhe disse:

– Por que você veio à Terra do Sul?

– Para me avistar com a Bruxa Boa que governa aqui – respondeu ela. – Vocês me levam até ela?

– Primeiro, digam-me seus nomes e vou perguntar a Glinda se ela quer recebê-los.

Eles disseram quem eram e a moça-soldado entrou no Castelo. Depois de alguns momentos, ela retornou para dizer que Dorothy e os outros seriam admitidos imediatamente.

Capítulo 23

Antes de se encontrarem com Glinda, entretanto, foram levados a uma sala do Castelo, em que Dorothy lavou seu rosto e se penteou e o Leão sacudiu a poeira de sua juba e o Espantalho se deu uma porção de tapinhas até ficar com o corpo na melhor forma possível e o Lenhador lustrou sua lata e azeitou suas juntas.

Quando todos se acharam apresentáveis, seguiram a moça-soldado para uma grande sala em que a Bruxa Glinda se assentava sobre um trono de rubis.

Ela era tão bela quanto jovem de aparência. Seu cabelo era de uma rica cor vermelha e caía em cachos ondulantes sobre seus ombros. Seu vestido era de um branco puro, mas seus olhos eram azuis e olhavam com bondade para a garotinha.

– Que posso fazer por você, minha criança? – ela perguntou.

Dorothy contou à Bruxa toda a sua história: como o ciclone a havia trazido para a Terra de Oz, como ela tinha encontrado seus companheiros e as maravilhosas aventuras que tinham enfrentado juntos.

– Meu maior desejo agora – ela acrescentou – é voltar para o Kansas, porque Tia Emily, sem a menor dúvida, está pensando que alguma coisa pavorosa me aconteceu e vai acabar pondo luto; e a não ser que as colheitas sejam melhores este ano do que foram no ano passado, tenho certeza de que Tio Henry não pode pagar por vestidos pretos.

Glinda inclinou-se para frente e beijou o doce rosto erguido da linda menina.

– Deus abençoe seu coração bondoso – disse ela.
– Tenho certeza de que posso ensinar-lhe uma forma de voltar ao Kansas.

Então, ela acrescentou:

– Mas se eu fizer isso, você deverá me dar o Barrete Dourado.

– Com a maior boa vontade! – exclamou Dorothy. – De fato, agora não me serve mais para nada e quando você for a dona, poderá comandar os Macacos Alados por três vezes.

– Acho que vou precisar de seus serviços somente estas três vezes – respondeu Glinda, sorrindo.

Dorothy deu-lhe então o Barrete Dourado e a Bruxa disse ao Espantalho:

– O que você vai fazer quando Dorothy tiver ido embora?

– Eu vou retornar para a Cidade das Esmeraldas replicou ele. – Oz me nomeou governante de lá e as pessoas gostam de mim. A única coisa que me preocupa é como vou conseguir atravessar a colina dos Cabeças de Martelo.

– Com o Barrete Dourado, eu vou comandar os Macacos Alados a carregá-lo até os portões da Cidade das Esmeraldas – disse Glinda. – Seria uma pena privar o povo de um governante tão maravilhoso.

– E eu sou realmente maravilhoso? – perguntou o Espantalho.

– Você é fora do comum – replicou Glinda.

Voltando-se para o Lenhador de Lata, ela perguntou:

– O que vai ser de você quando Dorothy deixar este país?

Ele apoiou-se em seu machado e pensou por um momento. Então disse:

— Os Winkies foram muito bons para mim e queriam que eu governasse sobre eles depois que a Bruxa Malvada morreu. Eu gosto dos Winkies e se pudesse voltar de novo para o País do Oeste, eu não gostaria de nada mais do que governá-los para sempre.

— Meu segundo comando aos Macacos Alados – disse Glinda – será que eles o carreguem até a terra dos Winkies. Seu cérebro pode não parecer tão grande como o do Espantalho, mas na verdade você é mais brilhante do que ele – quando está bem lustrado – e tenho certeza de que governará os Winkies bem e com sabedoria.

Então, a Bruxa olhou para o grande Leão peludo e perguntou:

— Quando Dorothy tiver retornado para seu próprio lar, o que acontecerá com você?

— Além da colina dos Cabeças de Martelo – respondeu ele –, há uma grande e velha floresta e todos os animais que moram lá me aclamaram seu Rei. Se eu conseguir voltar a essa floresta, passarei lá o resto de minha vida muito feliz.

— Meu terceiro comando aos Macacos Alados – disse Glinda – será que o carreguem para sua floresta. Então, tendo esgotado os poderes do Barrete Dourado, vou dá-lo de presente ao Rei dos Macacos, para que ele e seu bando possam ser livres daqui para a frente.

O Espantalho, o Lenhador de Lata e o Leão agradeceram sinceramente à Boa Bruxa por sua bondade e Dorothy exclamou:

— Certamente, você é tão boa quanto é linda! Mas até agora não me disse como eu vou voltar para o Kansas.

— Seus Sapatos Prateados vão carregá-la por cima do deserto – replicou Glinda. – Se você soubesse dos seus poderes, poderia ter voltado para sua Tia Emily no mesmo dia em que chegou a este país.

– Mas então eu não teria conseguido meu maravilhoso cérebro! – gritou o Espantalho. – Eu poderia ter passado toda a minha vida no milharal do fazendeiro!

– E eu não teria ganho meu lindo coração – disse o Lenhador de Lata. – Eu poderia ter ficado enferrujando na floresta até o fim do mundo.

– E eu teria sido um covarde para sempre – declarou o Leão. – Nenhum animal da floresta jamais teria uma palavra boa para dizer a meu respeito.

– Tudo isso é verdade – disse Dorothy –, e estou contente por ter sido útil para estes bons amigos. Mas agora que cada um deles já tem o que mais desejava e cada um está feliz por ter um reino para governar além disso, eu acho que gostaria de voltar para o Kansas.

– Os Sapatos Prateados – disse a Bruxa Boa – têm poderes maravilhosos. E uma das coisas mais curiosas a respeito deles é que podem levá-la a qualquer lugar do mundo em três etapas; e cada etapa transcorre em um piscar de olhos. Tudo o que você tem de fazer é bater os calcanhares três vezes e mandar os sapatos levarem-na aonde quer que desejar ir.

– Bem, se é assim – disse a criança, alegremente –, eu vou pedir-lhes para me levarem imediatamente ao Kansas.

Ela lançou seus braços ao redor do pescoço do Leão e beijou-o, acariciando sua cabeça ternamente. Então beijou o Lenhador de Lata, que estava chorando de uma maneira muito perigosa para suas juntas. Mas ela abraçou o corpo macio e estufado do Espantalho em vez de beijar seu rosto pintado, e descobriu que também estava chorando pela triste separação de seus amáveis camaradas.

Glinda, a Bruxa Boa, desceu de seu trono de rubi e deu à meninazinha um beijo de adeus. Dorothy agradeceu-lhe por toda a bondade que ela tinha demonstrado para com seus amigos e para com ela mesma.

Então, Dorothy pegou Totó solenemente em seus braços e, dando um último adeus, bateu os calcanhares de seus Sapatos Prateados três vezes, dizendo:

– Levem-me para casa e para Tia Emily!

Instantaneamente, ela estava rodopiando pelo ar, tão rápido que tudo que podia ver ou sentir era o vento assobiando em seus ouvidos.

Os Sapatos Prateados realizaram a tarefa em três etapas somente, e depois ela parou tão de repente, que rolou sobre o capim diversas vezes, antes de reconhecer onde estava.

Depois de algum tempo, entretanto, ela sentou-se e olhou em volta.

– Mas que maravilha! – gritou.

Ela estava sentada nas amplas pradarias do Kansas e bem na frente dela estava a nova casa de fazenda que Tio Henry construíra depois que o ciclone havia carregado a antiga. Tio Henry estava tirando leite das vacas no celeiro e Totó pulou de seus braços e saiu correndo em direção a ele, latindo alegremente.

Dorothy levantou-se e descobriu que estava só de meias. Os Sapatos Prateados tinham caído durante o voo e estavam perdidos para sempre no deserto.

Capítulo 24
Novamente em casa

Tia Emily tinha saído da casa para aguar os repolhos, quando ergueu o rosto e viu Dorothy correndo para ela.

– Minha querida menina! – ela gritou, envolvendo a meninazinha em seus braços e cobrindo-lhe o rosto de beijos. – Mas de onde você veio?

– Da Terra de Oz – disse Dorothy, gravemente. – E Totó também está aqui. Oh, Tia Emily, estou tão feliz de estar de novo em casa!

Fim

Coleção L&PM POCKET

600. Crime e castigo – Dostoiévski
601. Mistério no Caribe – Agatha Christie
602. Odisseia (2): Regresso – Homero
603. Piadas para sempre (2) – Visconde da Casa Verde
604. À sombra do vulcão – Malcolm Lowry
605. (8).Kerouac – Yves Buin
606. E agora são cinzas – Angeli
607. As mil e uma noites – Paulo Caruso
608. Um assassino entre nós – Ruth Rendell
609. Crack-up – F. Scott Fitzgerald
610. Do amor – Stendhal
611. Cartas do Yage – William Burroughs e Allen Ginsberg
612. Striptiras (2) – Laerte
613. Henry & June – Anaïs Nin
614. A piscina mortal – Ross Macdonald
615. Geraldão (2) – Glauco
616. Tempo de delicadeza – A. R. de Sant'Anna
617. Tiros na noite 2: Medo de tiro – Dashiell Hammett
618. Snoopy em Assim é a vida, Charlie Brown! (3) – Schulz
619. 1954 – Um tiro no coração – Hélio Silva
620. Sobre a inspiração poética (Íon) e ... – Platão
621. Garfield e seus amigos (8) – Jim Davis
622. Odisseia (3): Ítaca – Homero
623. A louca matança – Chester Himes
624. Factótum – Bukowski
625. Guerra e Paz: volume 1 – Tolstói
626. Guerra e Paz: volume 2 – Tolstói
627. Guerra e Paz: volume 3 – Tolstói
628. Guerra e Paz: volume 4 – Tolstói
629. (9).Shakespeare – Claude Mourthé
630. Bem está o que bem acaba – Shakespeare
631. O contrato social – Rousseau
632. Geração Beat – Jack Kerouac
633. Snoopy: É Natal! (4) – Charles Schulz
634. Testemunha da acusação – Agatha Christie
635. Um elefante no caos – Millôr Fernandes
636. Guia de leitura (100 autores que você precisa ler) – Organização de Léa Masina
637. Pistoleiros também mandam flores – David Coimbra
638. O prazer das palavras – vol. 1 – Cláudio Moreno
639. O prazer das palavras – vol. 2 – Cláudio Moreno
640. Novíssimo testamento: com Deus e o diabo, a dupla da criação – Iotti
641. Literatura Brasileira: modos de usar – Luís Augusto Fischer
642. Dicionário de Porto-Alegrês – Luís A. Fischer
643. Clô Dias & Noites – Sérgio Jockymann
644. Memorial de Isla Negra – Pablo Neruda
645. Um homem extraordinário e outras histórias – Tchékhov
646. Ana sem terra – Alcy Cheuiche
647. Adultérios – Woody Allen
651. Snoopy: Posso fazer uma pergunta, professora? (5) – Charles Schulz
652. (10).Luís XVI – Bernard Vincent
653. O mercador de Veneza – Shakespeare
654. Cancioneiro – Fernando Pessoa
655. Non-Stop – Martha Medeiros
656. Carpinteiros, levantem bem alto a cumeeira & Seymour, uma apresentação – J.D.Salinger
657. Ensaios céticos – Bertrand Russell
658. O melhor de Hagar 5 – Dik e Chris Browne
659. Primeiro amor – Ivan Turguêniev
660. A trégua – Mario Benedetti
661. Um parque de diversões da cabeça – Lawrence Ferlinghetti
662. Aprendendo a viver – Sêneca
663. Garfield, um gato em apuros (9) – Jim Davis
664. Dilbert (1) – Scott Adams
666. A imaginação – Jean-Paul Sartre
667. O ladrão e os cães – Naguib Mahfuz
669. A volta do parafuso *seguido de* **Daisy Miller** – Henry James
670. Notas do subsolo – Dostoiévski
671. Abobrinhas da Brasilônia – Glauco
672. Geraldão (3) – Glauco
673. Piadas para sempre (3) – Visconde da Casa Verde
674. Duas viagens ao Brasil – Hans Staden
676. A arte da guerra – Maquiavel
677. Além do bem e do mal – Nietzsche
678. O coronel Chabert *seguido de* **A mulher abandonada** – Balzac
679. O sorriso de marfim – Ross Macdonald
680. 100 receitas de pescados – Sílvio Lancellotti
681. O juiz e seu carrasco – Friedrich Dürrenmatt
682. Noites brancas – Dostoiévski
683. Quadras ao gosto popular – Fernando Pessoa
685. Kaos – Millôr Fernandes
686. A pele de onagro – Balzac
687. As ligações perigosas – Choderlos de Laclos
689. Os Lusíadas – Luís Vaz de Camões
690. (11).Átila – Éric Deschodt
691. Um jeito tranquilo de matar – Chester Himes
692. A felicidade conjugal *seguido de* **O diabo** – Tolstói
693. Viagem de um naturalista ao redor do mundo – vol. 1 – Charles Darwin
694. Viagem de um naturalista ao redor do mundo – vol. 2 – Charles Darwin
695. Memórias da casa dos mortos – Dostoiévski
696. A Celestina – Fernando de Rojas
697. Snoopy: Como você é azarado, Charlie Brown! (6) – Charles Schulz
698. Dez (quase) amores – Claudia Tajes
699. Poirot sempre espera – Agatha Christie
701. Apologia de Sócrates *precedido de* **Êutifron** e *seguido de* **Críton** – Platão

702. **Wood & Stock** – Angeli
703. **Striptiras (3)** – Laerte
704. **Discurso sobre a origem e os fundamentos da desigualdade entre os homens** – Rousseau
705. **Os duelistas** – Joseph Conrad
706. **Dilbert (2)** – Scott Adams
707. **Viver e escrever** (vol. 1) – Edla van Steen
708. **Viver e escrever** (vol. 2) – Edla van Steen
709. **Viver e escrever** (vol. 3) – Edla van Steen
710. **A teia da aranha** – Agatha Christie
711. **O banquete** – Platão
712. **Os belos e malditos** – F. Scott Fitzgerald
713. **Libelo contra a arte moderna** – Salvador Dalí
714. **Akropolis** – Valerio Massimo Manfredi
715. **Devoradores de mortos** – Michael Crichton
716. **Sob o sol da Toscana** – Frances Mayes
717. **Batom na cueca** – Nani
718. **Vida dura** – Claudia Tajes
719. **Carne trêmula** – Ruth Rendell
720. **Cris, a fera** – David Coimbra
721. **O anticristo** – Nietzsche
722. **Como um romance** – Daniel Pennac
723. **Emboscada no Forte Bragg** – Tom Wolfe
724. **Assédio sexual** – Michael Crichton
725. **O espírito do Zen** – Alan W. Watts
726. **Um bonde chamado desejo** – Tennessee Williams
727. **Como gostais** seguido de **Conto de inverno** – Shakespeare
728. **Tratado sobre a tolerância** – Voltaire
729. **Snoopy; Doces ou travessuras? (7)** – Charles Schulz
730. **Cardápios do Anonymous Gourmet** – J.A. Pinheiro Machado
731. **100 receitas com lata** – J.A. Pinheiro Machado
732. **Conhece o Mário?** vol.2 – Santiago
733. **Dilbert (3)** – Scott Adams
734. **História de um louco amor** seguido de **Passado amor** – Horacio Quiroga
735(11). **Sexo: muito prazer** – Laura Meyer da Silva
736(12). **Para entender o adolescente** – Dr. Ronald Pagnoncelli
737(13). **Desembarcando a tristeza** – Dr. Fernando Lucchese
738. **Poirot e o mistério da arca espanhola & outras histórias** – Agatha Christie
739. **A última legião** – Valerio Massimo Manfredi
741. **Sol nascente** – Michael Crichton
742. **Duzentos ladrões** – Dalton Trevisan
743. **Os devaneios do caminhante solitário** – Rousseau
744. **Garfield, o rei da preguiça (10)** – Jim Davis
745. **Os magnatas** – Charles R. Morris
746. **Pulp** – Charles Bukowski
747. **Enquanto agonizo** – William Faulkner
748. **Aline: viciada em sexo (3)** – Adão Iturrusgarai
749. **A dama do cachorrinho** – Anton Tchékhov
750. **Tito Andrônico** – Shakespeare
751. **Antologia poética** – Anna Akhmátova
752. **O melhor de Hagar 6** – Dik e Chris Browne
753(12). **Michelangelo** – Nadine Sautel
754. **Dilbert (4)** – Scott Adams
755. **O jardim das cerejeiras** seguido de **Tio Vânia** – Tchékhov
756. **Geração Beat** – Claudio Willer
757. **Santos Dumont** – Alcy Cheuiche
758. **Budismo** – Claude B. Levenson
759. **Cleópatra** – Christian-Georges Schwentzel
760. **Revolução Francesa** – Frédéric Bluche, Stéphane Rials e Jean Tulard
761. **A crise de 1929** – Bernard Gazier
762. **Sigmund Freud** – Edson Sousa e Paulo Endo
763. **Império Romano** – Patrick Le Roux
764. **Cruzadas** – Cécile Morrisson
765. **O mistério do Trem Azul** – Agatha Christie
768. **Senso comum** – Thomas Paine
769. **O parque dos dinossauros** – Michael Crichton
770. **Trilogia da paixão** – Goethe
773. **Snoopy: No mundo da lua! (8)** – Charles Schulz
774. **Os Quatro Grandes** – Agatha Christie
775. **Um brinde de cianureto** – Agatha Christie
776. **Súplicas atendidas** – Truman Capote
779. **A viúva imortal** – Millôr Fernandes
780. **Cabala** – Roland Goetschel
781. **Capitalismo** – Claude Jessua
782. **Mitologia grega** – Pierre Grimal
783. **Economia: 100 palavras-chave** – Jean-Paul Betbèze
784. **Marxismo** – Henri Lefebvre
785. **Punição para a inocência** – Agatha Christie
786. **A extravagância do morto** – Agatha Christie
787(13). **Cézanne** – Bernard Fauconnier
788. **A identidade Bourne** – Robert Ludlum
789. **Da tranquilidade da alma** – Sêneca
790. **Um artista da fome** seguido de **Na colônia penal e outras histórias** – Kafka
791. **Histórias de fantasmas** – Charles Dickens
796. **O Uraguai** – Basílio da Gama
797. **A mão misteriosa** – Agatha Christie
798. **Testemunha ocular do crime** – Agatha Christie
799. **Crepúsculo dos ídolos** – Friedrich Nietzsche
802. **O grande golpe** – Dashiell Hammett
803. **Humor barra pesada** – Nani
804. **Vinho** – Jean-François Gautier
805. **Egito Antigo** – Sophie Desplancques
806(14). **Baudelaire** – Jean-Baptiste Baronian
807. **Caminho da sabedoria, caminho da paz** – Dalai Lama e Felizitas von Schönborn
808. **Senhor e servo e outras histórias** – Tolstói
809. **Os cadernos de Malte Laurids Brigge** – Rilke
810. **Dilbert (5)** – Scott Adams
811. **Big Sur** – Jack Kerouac
812. **Seguindo a correnteza** – Agatha Christie
813. **O álibi** – Sandra Brown
814. **Montanha-russa** – Martha Medeiros
815. **Coisas da vida** – Martha Medeiros
816. **A cantada infalível** seguido de **A mulher do centroavante** – David Coimbra
819. **Snoopy: Pausa para a soneca (9)** – Charles Schulz
820. **De pernas pro ar** – Eduardo Galeano

821. Tragédias gregas – Pascal Thiercy
822. Existencialismo – Jacques Colette
823. Nietzsche – Jean Granier
824. Amar ou depender? – Walter Riso
825. Darmapada: A doutrina budista em versos
826. J'Accuse...! – a verdade em marcha – Zola
827. Os crimes ABC – Agatha Christie
828. Um gato entre os pombos – Agatha Christie
831. Dicionário de teatro – Luiz Paulo Vasconcellos
832. Cartas extraviadas – Martha Medeiros
833. A longa viagem de prazer – J. J. Morosoli
834. Receitas fáceis – J. A. Pinheiro Machado
835.(14). Mais fatos & mitos – Dr. Fernando Lucchese
836.(15). Boa viagem! – Dr. Fernando Lucchese
837. Aline: Finalmente nua!!! (4) – Adão Iturrusgarai
838. Mônica tem uma novidade! – Mauricio de Sousa
839. Cebolinha em apuros! – Mauricio de Sousa
840. Sócios no crime – Agatha Christie
841. Bocas do tempo – Eduardo Galeano
842. Orgulho e preconceito – Jane Austen
843. Impressionismo – Dominique Lobstein
844. Escrita chinesa – Viviane Alleton
845. Paris: uma história – Yvan Combeau
846.(15). Van Gogh – David Haziot
848. Portal do destino – Agatha Christie
849. O futuro de uma ilusão – Freud
850. O mal-estar na cultura – Freud
853. Um crime adormecido – Agatha Christie
854. Satori em Paris – Jack Kerouac
855. Medo e delírio em Las Vegas – Hunter Thompson
856. Um negócio fracassado e outros contos de humor – Tchékhov
857. Mônica está de férias! – Mauricio de Sousa
858. De quem é esse coelho? – Mauricio de Sousa
860. O mistério Sittaford – Agatha Christie
861. Manhã transfigurada – L. A. de Assis Brasil
862. Alexandre, o Grande – Pierre Briant
863. Jesus – Charles Perrot
864. Islã – Paul Balta
865. Guerra da Secessão – Farid Ameur
866. Um rio que vem da Grécia – Cláudio Moreno
868. Assassinato na casa do pastor – Agatha Christie
869. Manual do líder – Napoleão Bonaparte
870.(16). Billie Holiday – Sylvia Fol
871. Bidu arrasando! – Mauricio de Sousa
872. Os Sousa: Desventuras em família – Mauricio de Sousa
874. E no final a morte – Agatha Christie
875. Guia prático do Português correto – vol. 4 – Cláudio Moreno
876. Dilbert (6) – Scott Adams
877.(17). Leonardo Da Vinci – Sophie Chauveau
878. Bella Toscana – Frances Mayes
879. A arte da ficção – David Lodge
880. Striptiras (4) – Laerte
881. Skrotinhos – Angeli
882. Depois do funeral – Agatha Christie
883. Radici 7 – Iotti
884. Walden – H. D. Thoreau
885. Lincoln – Allen C. Guelzo
886. Primeira Guerra Mundial – Michael Howard
887. A linha de sombra – Joseph Conrad
888. O amor é um cão dos diabos – Bukowski
890. Despertar: uma vida de Buda – Jack Kerouac
891.(18). Albert Einstein – Laurent Seksik
892. Hell's Angels – Hunter Thompson
893. Ausência na primavera – Agatha Christie
894. Dilbert (7) – Scott Adams
895. Ao sul de lugar nenhum – Bukowski
896. Maquiavel – Quentin Skinner
897. Sócrates – C.C.W. Taylor
899. O Natal de Poirot – Agatha Christie
900. As veias abertas da América Latina – Eduardo Galeano
901. Snoopy: Sempre alerta! (10) – Charles Schulz
902. Chico Bento: Plantando confusão – Mauricio de Sousa
903. Penadinho: Quem é morto sempre aparece – Mauricio de Sousa
904. A vida sexual da mulher feia – Claudia Tajes
905. 100 segredos de liquidificador – José Antonio Pinheiro Machado
906. Sexo muito prazer 2 – Laura Meyer da Silva
907. Os nascimentos – Eduardo Galeano
908. As caras e as máscaras – Eduardo Galeano
909. O século do vento – Eduardo Galeano
910. Poirot perde uma cliente – Agatha Christie
911. Cérebro – Michael O'Shea
912. O escaravelho de ouro e outras histórias – Edgar Allan Poe
913. Piadas para sempre (4) – Visconde da Casa Verde
914. 100 receitas de massas light – Helena Tonetto
915(19). Oscar Wilde – Daniel Salvatore Schiffer
916. Uma breve história do mundo – H. G. Wells
917. A Casa do Penhasco – Agatha Christie
919. John M. Keynes – Bernard Gazier
920(20). Virginia Woolf – Alexandra Lemasson
921. Peter e Wendy *seguido de* Peter Pan em Kensington Gardens – J. M. Barrie
922. Aline: numas de colegial (5) – Adão Iturrusgarai
923. Uma dose mortal – Agatha Christie
924. Os trabalhos de Hércules – Agatha Christie
926. Kant – Roger Scruton
927. A inocência do Padre Brown – G.K. Chesterton
928. Casa Velha – Machado de Assis
929. Marcas de nascença – Nancy Huston
930. Aulete de bolso
931. Hora Zero – Agatha Christie
932. Morte na Mesopotâmia – Agatha Christie
934. Nem te conto, João – Dalton Trevisan
935. As aventuras de Huckleberry Finn – Mark Twain
936(21). Marilyn Monroe – Anne Plantagenet
937. China moderna – Rana Mitter
938. Dinossauros – David Norman
939. Louca por homem – Claudia Tajes
940. Amores de alto risco – Walter Riso
941. Jogo de damas – David Coimbra
942. Filha é filha – Agatha Christie
943. M ou N? – Agatha Christie
945. Bidu: diversão em dobro! – Mauricio de Sousa

946. **Fogo** – Anaïs Nin
947. **Rum: diário de um jornalista bêbado** – Hunter Thompson
948. **Persuasão** – Jane Austen
949. **Lágrimas na chuva** – Sergio Faraco
950. **Mulheres** – Bukowski
951. **Um pressentimento funesto** – Agatha Christie
952. **Cartas na mesa** – Agatha Christie
954. **O lobo do mar** – Jack London
955. **Os gatos** – Patricia Highsmith
956(22). **Jesus** – Christiane Rancé
957. **História da medicina** – William Bynum
958. **O Morro dos Ventos Uivantes** – Emily Brontë
959. **A filosofia na era trágica dos gregos** – Nietzsche
960. **Os treze problemas** – Agatha Christie
961. **A massagista japonesa** – Moacyr Scliar
963. **Humor do miserê** – Nani
964. **Todo o mundo tem dúvida, inclusive você** – Édison de Oliveira
965. **A dama do Bar Nevada** – Sergio Faraco
969. **O psicopata americano** – Bret Easton Ellis
970. **Ensaios de amor** – Alain de Botton
971. **O grande Gatsby** – F. Scott Fitzgerald
972. **Por que não sou cristão** – Bertrand Russell
973. **A Casa Torta** – Agatha Christie
974. **Encontro com a morte** – Agatha Christie
975(23). **Rimbaud** – Jean-Baptiste Baronian
976. **Cartas na rua** – Bukowski
977. **Memória** – Jonathan K. Foster
978. **A abadia de Northanger** – Jane Austen
979. **As pernas de Úrsula** – Claudia Tajes
980. **Retrato inacabado** – Agatha Christie
981. **Solanin (1)** – Inio Asano
982. **Solanin (2)** – Inio Asano
983. **Aventuras de menino** – Mitsuru Adachi
984(16). **Fatos & mitos sobre sua alimentação** – Dr. Fernando Lucchese
985. **Teoria quântica** – John Polkinghorne
986. **O eterno marido** – Fiódor Dostoiévski
987. **Um safado em Dublin** – J. P. Donleavy
988. **Mirinha** – Dalton Trevisan
989. **Akhenaton e Nefertiti** – Carmen Segranfredo e A. S. Franchini
990. **On the Road – o manuscrito original** – Jack Kerouac
991. **Relatividade** – Russell Stannard
992. **Abaixo de zero** – Bret Easton Ellis
993(24). **Andy Warhol** – Mériam Korichi
995. **Os últimos casos de Miss Marple** – Agatha Christie
996. **Nico Demo: Aí vem encrenca** – Mauricio de Sousa
998. **Rousseau** – Robert Wokler
999. **Noite sem fim** – Agatha Christie
1000. **Diários de Andy Warhol (1)** – Editado por Pat Hackett
1001. **Diários de Andy Warhol (2)** – Editado por Pat Hackett
1002. **Cartier-Bresson: o olhar do século** – Pierre Assouline
1003. **As melhores histórias da mitologia: vol. 1** – A.S. Franchini e Carmen Seganfredo
1004. **As melhores histórias da mitologia: vol. 2** – A.S. Franchini e Carmen Seganfredo
1005. **Assassinato no beco** – Agatha Christie
1006. **Convite para um homicídio** – Agatha Christie
1008. **História da vida** – Michael J. Benton
1009. **Jung** – Anthony Stevens
1010. **Arsène Lupin, ladrão de casaca** – Maurice Leblanc
1011. **Dublinenses** – James Joyce
1012. **120 tirinhas da Turma da Mônica** – Mauricio de Sousa
1013. **Antologia poética** – Fernando Pessoa
1014. **A aventura de um cliente ilustre** seguido de **O último adeus de Sherlock Holmes** – Sir Arthur Conan Doyle
1015. **Cenas de Nova York** – Jack Kerouac
1016. **A corista** – Anton Tchékhov
1017. **O diabo** – Leon Tolstói
1018. **Fábulas chinesas** – Sérgio Capparelli e Márcia Schmaltz
1019. **O gato do Brasil** – Sir Arthur Conan Doyle
1020. **Missa do Galo** – Machado de Assis
1021. **O mistério de Marie Rogêt** – Edgar Allan Poe
1022. **A mulher mais linda da cidade** – Bukowski
1023. **O retrato** – Nicolai Gogol
1024. **O conflito** – Agatha Christie
1025. **Os primeiros casos de Poirot** – Agatha Christie
1027(25). **Beethoven** – Bernard Fauconnier
1028. **Platão** – Julia Annas
1029. **Cleo e Daniel** – Roberto Freire
1030. **Til** – José de Alencar
1031. **Viagens na minha terra** – Almeida Garrett
1032. **Profissões para mulheres e outros artigos feministas** – Virginia Woolf
1033. **Mrs. Dalloway** – Virginia Woolf
1034. **O não da morte** – Agatha Christie
1035. **Tragédia em três atos** – Agatha Christie
1037. **O fantasma da Ópera** – Gaston Leroux
1038. **Evolução** – Brian e Deborah Charlesworth
1039. **Medida por medida** – Shakespeare
1040. **Razão e sentimento** – Jane Austen
1041. **A obra-prima ignorada** seguido de **Um episódio durante o Terror** – Balzac
1042. **A fugitiva** – Anaïs Nin
1043. **As grandes histórias da mitologia greco--romana** – A. S. Franchini
1044. **O corno de si mesmo & outras historietas** – Marquês de Sade
1045. **Da felicidade** seguido de **Da vida retirada** – Sêneca
1046. **O horror em Red Hook e outras histórias** – H. P. Lovecraft
1047. **Noite em claro** – Martha Medeiros
1048. **Poemas clássicos chineses** – Li Bai, Du Fu e Wang Wei
1049. **A terceira moça** – Agatha Christie
1050. **Um destino ignorado** – Agatha Christie
1051(26). **Buda** – Sophie Royer
1052. **Guerra Fria** – Robert J. McMahon
1053. **Simons's Cat: as aventuras de um gato travesso e comilão – vol. 1** – Simon Tofield
1054. **Simons's Cat: as aventuras de um gato travesso e comilão – vol. 2** – Simon Tofield
1055. **Só as mulheres e as baratas sobreviverão** – Claudia Tajes
1057. **Pré-história** – Chris Gosden
1058. **Pintou sujeira!** – Mauricio de Sousa
1059. **Contos de Mamãe Gansa** – Charles Perrault
1060. **A interpretação dos sonhos: vol. 1** – Freud

1061. **A interpretação dos sonhos: vol. 2** – Freud
1062. **Frufru Rataplã Dolores** – Dalton Trevisan
1063. **As melhores histórias da mitologia egípcia** – Carmem Seganfredo e A.S. Franchini
1064. **Infância. Adolescência. Juventude** – Tolstói
1065. **As consolações da filosofia** – Alain de Botton
1066. **Diários de Jack Kerouac – 1947-1954**
1067. **Revolução Francesa – vol. 1** – Max Gallo
1068. **Revolução Francesa – vol. 2** – Max Gallo
1069. **O detetive Parker Pyne** – Agatha Christie
1070. **Memórias do esquecimento** – Flávio Tavares
1071. **Drogas** – Leslie Iversen
1072. **Manual de ecologia (vol.2)** – J. Lutzenberger
1073. **Como andar no labirinto** – Affonso Romano de Sant'Anna
1074. **A orquídea e o serial killer** – Juremir Machado da Silva
1075. **Amor nos tempos de fúria** – Lawrence Ferlinghetti
1076. **A aventura do pudim de Natal** – Agatha Christie
1078. **Amores que matam** – Patricia Faur
1079. **Histórias de pescador** – Mauricio de Sousa
1080. **Pedaços de um caderno manchado de vinho** – Bukowski
1081. **A ferro e fogo: tempo de solidão (vol.1)** – Josué Guimarães
1082. **A ferro e fogo: tempo de guerra (vol.2)** – Josué Guimarães
1084(17). **Desembarcando o Alzheimer** – Dr. Fernando Lucchese e Dra. Ana Hartmann
1085. **A maldição do espelho** – Agatha Christie
1086. **Uma breve história da filosofia** – Nigel Warburton
1088. **Heróis da História** – Will Durant
1089. **Concerto campestre** – L. A. de Assis Brasil
1090. **Morte nas nuvens** – Agatha Christie
1092. **Aventura em Bagdá** – Agatha Christie
1093. **O cavalo amarelo** – Agatha Christie
1094. **O método de interpretação dos sonhos** – Freud
1095. **Sonetos de amor e desamor** – Vários
1096. **120 tirinhas do Dilbert** – Scott Adams
1097. **200 fábulas de Esopo**
1098. **O curioso caso de Benjamin Button** – F. Scott Fitzgerald
1099. **Piadas para sempre: uma antologia para morrer de rir** – Visconde da Casa Verde
1100. **Hamlet (Mangá)** – Shakespeare
1101. **A arte da guerra (Mangá)** – Sun Tzu
1104. **As melhores histórias da Bíblia (vol.1)** – A. S. Franchini e Carmem Seganfredo
1105. **As melhores histórias da Bíblia (vol.2)** – A. S. Franchini e Carmem Seganfredo
1106. **Psicologia das massas e análise do eu** – Freud
1107. **Guerra Civil Espanhola** – Helen Graham
1108. **A autoestrada do sul e outras histórias** – Julio Cortázar
1109. **O mistério dos sete relógios** – Agatha Christie
1110. **Peanuts: Ninguém gosta de mim... (amor)** – Charles Schulz
1111. **Cadê o bolo?** – Mauricio de Sousa
1112. **O filósofo ignorante** – Voltaire
1113. **Totem e tabu** – Freud
1114. **Filosofia pré-socrática** – Catherine Osborne
1115. **Desejo de status** – Alain de Botton
1118. **Passageiro para Frankfurt** – Agatha Christie
1120. **Kill All Enemies** – Melvin Burgess
1121. **A morte da sra. McGinty** – Agatha Christie
1122. **Revolução Russa** – S. A. Smith
1123. **Até você, Capitu?** – Dalton Trevisan
1124. **O grande Gatsby (Mangá)** – F. S. Fitzgerald
1125. **Assim falou Zaratustra (Mangá)** – Nietzsche
1126. **Peanuts: É para isso que servem os amigos (amizade)** – Charles Schulz
1127(27). **Nietzsche** – Dorian Astor
1128. **Bidu: Hora do banho** – Mauricio de Sousa
1129. **O melhor do Macanudo Taurino** – Santiago
1130. **Radicci 30 anos** – Iotti
1131. **Show de sabores** – J.A. Pinheiro Machado
1132. **O prazer das palavras** – vol. 3 – Cláudio Moreno
1133. **Morte na praia** – Agatha Christie
1134. **O fardo** – Agatha Christie
1135. **Manifesto do Partido Comunista (Mangá)** – Marx & Engels
1136. **A metamorfose (Mangá)** – Franz Kafka
1137. **Por que você não se casou... ainda** – Tracy McMillan
1138. **Textos autobiográficos** – Bukowski
1139. **A importância de ser prudente** – Oscar Wilde
1140. **Sobre a vontade na natureza** – Arthur Schopenhauer
1141. **Dilbert (8)** – Scott Adams
1142. **Entre dois amores** – Agatha Christie
1143. **Cipreste triste** – Agatha Christie
1144. **Alguém viu uma assombração?** – Mauricio de Sousa
1145. **Mandela** – Elleke Boehmer
1146. **Retrato do artista quando jovem** – James Joyce
1147. **Zadig ou o destino** – Voltaire
1148. **O contrato social (Mangá)** – J.-J. Rousseau
1149. **Garfield fenomenal** – Jim Davis
1150. **A queda da América** – Allen Ginsberg
1151. **Música na noite & outros ensaios** – Aldous Huxley
1152. **Poesias inéditas & Poemas dramáticos** – Fernando Pessoa
1153. **Peanuts: Felicidade é...** – Charles M. Schulz
1154. **Mate-me por favor** – Legs McNeil e Gillian McCain
1155. **Assassinato no Expresso Oriente** – Agatha Christie
1156. **Um punhado de centeio** – Agatha Christie
1157. **A interpretação dos sonhos (Mangá)** – Freud
1158. **Peanuts: Você não entende o sentido da vida** – Charles M. Schulz
1159. **A dinastia Rothschild** – Herbert R. Lottman
1160. **A Mansão Hollow** – Agatha Christie
1161. **Nas montanhas da loucura** – H.P. Lovecraft
1162(28). **Napoleão Bonaparte** – Pascale Fautrier
1163. **Um corpo na biblioteca** – Agatha Christie
1164. **Inovação** – Mark Dodgson e David Gann
1165. **O que toda mulher deve saber sobre os homens: a afetividade masculina** – Walter Riso
1166. **O amor está no ar** – Mauricio de Sousa
1167. **Testemunha de acusação & outras histórias** – Agatha Christie
1168. **Etiqueta de bolso** – Celia Ribeiro
1169. **Poesia reunida (volume 3)** – Affonso Romano de Sant'Anna

1170. **Emma** – Jane Austen
1171. **Que seja em segredo** – Ana Miranda
1172. **Garfield sem apetite** – Jim Davis
1173. **Garfield: Foi mal...** – Jim Davis
1174. **Os irmãos Karamázov (Mangá)** – Dostoiévski
1175. **O Pequeno Príncipe** – Antoine de Saint-Exupéry
1176. **Peanuts: Ninguém mais tem o espírito aventureiro** – Charles M. Schulz
1177. **Assim falou Zaratustra** – Nietzsche
1178. **Morte no Nilo** – Agatha Christie
1179. **Ê, soneca boa** – Mauricio de Sousa
1180. **Garfield a todo o vapor** – Jim Davis
1181. **Em busca do tempo perdido (Mangá)** – Proust
1182. **Cai o pano: o último caso de Poirot** – Agatha Christie
1183. **Livro para colorir e relaxar** – Livro 1
1184. **Para colorir sem parar**
1185. **Os elefantes não esquecem** – Agatha Christie
1186. **Teoria da relatividade** – Albert Einstein
1187. **Compêndio da psicanálise** – Freud
1188. **Visões de Gerard** – Jack Kerouac
1189. **Fim de verão** – Mohiro Kitoh
1190. **Procurando diversão** – Mauricio de Sousa
1191. **E não sobrou nenhum e outras peças** – Agatha Christie
1192. **Ansiedade** – Daniel Freeman & Jason Freeman
1193. **Garfield: pausa para o almoço** – Jim Davis
1194. **Contos do dia e da noite** – Guy de Maupassant
1195. **O melhor de Hagar 7** – Dik Browne
1196(29). **Lou Andreas-Salomé** – Dorian Astor
1197(30). **Pasolhil** – Rène de Ceccatty
1198. **O caso do Hotel Bertram** – Agatha Christie
1199. **Crônicas de motel** – Sam Shepard
1200. **Pequena filosofia da paz interior** – Catherine Rambert
1201. **Os sertões** – Euclides da Cunha
1202. **Treze à mesa** – Agatha Christie
1203. **Bíblia** – John Riches
1204. **Anjos** – David Albert Jones
1205. **As tirinhas do Guri de Uruguaiana 1** – Jair Kobe
1206. **Entre aspas (vol.1)** – Fernando Eichenberg
1207. **Escrita** – Andrew Robinson
1208. **O spleen de Paris: pequenos poemas em prosa** – Charles Baudelaire
1209. **Satíricon** – Petrônio
1210. **O avarento** – Molière
1211. **Queimando na água, afogando-se na chama** – Bukowski
1212. **Miscelânea septuagenária: contos e poemas** – Bukowski
1213. **Que filosofar é aprender a morrer e outros ensaios** – Montaigne
1214. **Da amizade e outros ensaios** – Montaigne
1215. **O medo à espreita e outras histórias** – H.P. Lovecraft
1216. **A obra de arte na era de sua reprodutibilidade técnica** – Walter Benjamin
1217. **Sobre a liberdade** – John Stuart Mill
1218. **O segredo de Chimneys** – Agatha Christie
1219. **Morte na rua Hickory** – Agatha Christie
1220. **Ulisses (Mangá)** – James Joyce
1221. **Ateísmo** – Julian Baggini
1222. **Os melhores contos de Katherine Mansfield** – Katherine Mansfield
1223(31). **Martin Luther King** – Alain Foix
1224. **Millôr Definitivo: uma antologia de** *A Bíblia do Caos* – Millôr Fernandes
1225. **O Clube das Terças-Feiras e outras histórias** – Agatha Christie
1226. **Por que sou tão sábio** – Nietzsche
1227. **Sobre a mentira** – Platão
1228. **Sobre a leitura** *seguido do* **Depoimento de Céleste Albaret** – Proust
1229. **O homem do terno marrom** – Agatha Christie
1230(32). **Jimi Hendrix** – Franck Médioni
1231. **Amor e amizade e outras histórias** – Jane Austen
1232. **Lady Susan, Os Watson e Sanditon** – Jane Austen
1233. **Uma breve história da ciência** – William Bynum
1234. **Macunaíma: o herói sem nenhum caráter** – Mário de Andrade
1235. **A máquina do tempo** – H.G. Wells
1236. **O homem invisível** – H.G. Wells
1237. **Os 36 estratagemas: manual secreto da arte da guerra** – Anônimo
1238. **A mina de ouro e outras histórias** – Agatha Christie
1239. **Pic** – Jack Kerouac
1240. **O habitante da escuridão e outros contos** – H.P. Lovecraft
1241. **O chamado de Cthulhu e outros contos** – H.P. Lovecraft
1242. **O melhor de Meu reino por um cavalo!** – Edição de Ivan Pinheiro Machado
1243. **A guerra dos mundos** – H.G. Wells
1244. **O caso da criada perfeita e outras histórias** – Agatha Christie
1245. **Morte por afogamento e outras histórias** – Agatha Christie
1246. **Assassinato no Comitê Central** – Manuel Vázquez Montalbán
1247. **O papai é pop** – Marcos Piangers
1248. **O papai é pop 2** – Marcos Piangers
1249. **A mamãe é rock** – Ana Cardoso
1250. **Paris boêmia** – Dan Franck
1251. **Paris libertária** – Dan Franck
1252. **Paris ocupada** – Dan Franck
1253. **Uma anedota infame** – Dostoiévski
1254. **O último dia de um condenado** – Victor Hugo
1255. **Nem só de caviar vive o homem** – J.M. Simmel
1256. **Amanhã é outro dia** – J.M. Simmel
1257. **Mulherzinhas** – Louisa May Alcott
1258. **Reforma Protestante** – Peter Marshall
1259. **História econômica global** – Robert C. Allen
1260(33). **Che Guevara** – Alain Foix
1261. **Câncer** – Nicholas James
1262. **Akhenaton** – Agatha Christie
1263. **Aforismos para a sabedoria da vida** – Arthur Schopenhauer
1264. **Uma história do mundo** – David Coimbra
1265. **Ame e não sofra** – Walter Riso
1266. **Desapegue-se!** – Walter Riso

1267. **Os Sousa: Uma família do barulho** – Mauricio de Sousa
1268. **Nico Demo: O rei da travessura** – Mauricio de Sousa
1269. **Testemunha de acusação e outras peças** – Agatha Christie
1270. (34).**Dostoiévski** – Virgil Tanase
1271. **O melhor de Hagar 8** – Dik Browne
1272. **O melhor de Hagar 9** – Dik Browne
1273. **O melhor de Hagar 10** – Dik e Chris Browne
1274. **Considerações sobre o governo representativo** – John Stuart Mill
1275. **O homem Moisés e a religião monoteísta** – Freud
1276. **Inibição, sintoma e medo** – Freud
1277. **Além do princípio de prazer** – Freud
1278. **O direito de dizer não!** – Walter Riso
1279. **A arte de ser flexível** – Walter Riso
1280. **Casados e descasados** – August Strindberg
1281. **Da Terra à Lua** – Júlio Verne
1282. **Minhas galerias e meus pintores** – Kahnweiler
1283. **A arte do romance** – Virginia Woolf
1284. **Teatro completo v. 1: As aves da noite** *seguido de* **O visitante** – Hilda Hilst
1285. **Teatro completo v. 2: O verdugo** *seguido de* **A morte do patriarca** – Hilda Hilst
1286. **Teatro completo v. 3: O rato no muro** *seguido de* **Auto da barca de Camiri** – Hilda Hilst
1287. **Teatro completo v. 4: A empresa** *seguido de* **O novo sistema** – Hilda Hilst
1289. **Fora de mim** – Martha Medeiros
1290. **Divã** – Martha Medeiros
1291. **Sobre a genealogia da moral: um escrito polêmico** – Nietzsche
1292. **A consciência de Zeno** – Italo Svevo
1293. **Células-tronco** – Jonathan Slack
1294. **O fim do ciúme e outros contos** – Proust
1295. **A jangada** – Júlio Verne
1296. **A ilha do dr. Moreau** – H.G. Wells
1297. **Ninho de fidalgos** – Ivan Turguêniev
1298. **Jane Eyre** – Charlotte Brontë
1299. **Sobre gatos** – Bukowski
1300. **Sobre o amor** – Bukowski
1301. **Escrever para não enlouquecer** – Bukowski
1302. **222 receitas** – J. A. Pinheiro Machado
1303. **Reinações de Narizinho** – Monteiro Lobato
1304. **O Saci** – Monteiro Lobato
1305. **Memórias da Emília** – Monteiro Lobato
1306. **O Picapau Amarelo** – Monteiro Lobato
1307. **A reforma da Natureza** – Monteiro Lobato
1308. **Fábulas** *seguido de* **Histórias diversas** – Monteiro Lobato
1309. **Aventuras de Hans Staden** – Monteiro Lobato
1310. **Peter Pan** – Monteiro Lobato
1311. **Dom Quixote das crianças** – Monteiro Lobato
1312. **O Minotauro** – Monteiro Lobato
1313. **Um quarto só seu** – Virginia Woolf
1314. **Sonetos** – Shakespeare
1315. (35).**Thoreau** – Marie Berthoumieu e Laura El Makki
1316. **Teoria da arte** – Cynthia Freeland
1317. **A arte da prudência** – Baltasar Gracián
1318. **O louco** *seguido de* **Areia e espuma** – Khalil Gibran
1319. **O profeta** *seguido de* **O jardim do profeta** – Khalil Gibran
1320. **Jesus, o Filho do Homem** – Khalil Gibran
1321. **A luta** – Norman Mailer
1322. **Sobre o sofrimento do mundo e outros ensaios** – Schopenhauer
1323. **Epidemiologia** – Rodolfo Sacacci
1324. **Japão moderno** – Christopher Goto-Jones
1325. **A arte da meditação** – Matthieu Ricard
1326. **O adversário secreto** – Agatha Christie
1327. **Pollyanna** – Eleanor H. Porter
1328. **Espelhos** – Eduardo Galeano
1329. **A Vênus das peles** – Sacher-Masoch
1330. **O 18 de brumário de Luís Bonaparte** – Karl Marx
1331. **Um jogo para os vivos** – Patricia Highsmith
1332. **A tristeza pode esperar** – J.J. Camargo
1333. **Vinte poemas de amor e uma canção desesperada** – Pablo Neruda
1334. **Judaísmo** – Norman Solomon
1335. **Esquizofrenia** – Christopher Frith & Eve Johnstone
1336. **Seis personagens em busca de um autor** – Luigi Pirandello
1337. **A Fazenda dos Animais** – George Orwell
1338. **1984** – George Orwell
1339. **Ubu Rei** – Alfred Jarry
1340. **Sobre bêbados e bebidas** – Bukowski
1341. **Tempestade para os vivos e para os mortos** – Bukowski
1342. **Complicado** – Natsume Ono
1343. **Sobre o livre-arbítrio** – Schopenhauer
1344. **Uma breve história da literatura** – John Sutherland
1345. **Você fica tão sozinho às vezes que até faz sentido** – Bukowski
1346. **Um apartamento em Paris** – Guillaume Musso
1347. **Receitas fáceis e saborosas** – José Antonio Pinheiro Machado
1348. **Por que engordamos** – Gary Taubes
1349. **A fabulosa história do hospital** – Jean-Noël Fabiani
1350. **Voo noturno** *seguido de* **Terra dos homens** – Antoine de Saint-Exupéry
1351. **Doutor Sax** – Jack Kerouac
1352. **O livro do Tao e da virtude** – Lao-Tsé
1353. **Pista negra** – Antonio Manzini
1354. **A chave de vidro** – Dashiell Hammett
1355. **Martin Eden** – Jack London
1356. **Já te disse adeus, e agora, como te esqueço?** – Walter Riso
1357. **A viagem do descobrimento** – Eduardo Bueno
1358. **Náufragos, traficantes e degredados** – Eduardo Bueno
1359. **Retrato do Brasil** – Paulo Prado
1360. **Maravilhosamente imperfeito, escandalosamente feliz** – Walter Riso
1361. **É...** – Millôr Fernandes
1362. **Duas tábuas e uma paixão** – Millôr Fernandes
1363. **Selma e Sinatra** – Martha Medeiros
1364. **Tudo que eu queria te dizer** – Martha Medeiros
1365. **Várias histórias** – Machado de Assis

lepmeditores
www.lpm.com.br
o site que conta tudo

IMPRESSÃO:

PALLOTTI
GRÁFICA

Santa Maria - RS | Fone: (55) 3220.4500
www.graficapallotti.com.br